国家出版基金项目
NATIONAL PUBLICATION FOUNDATION

《三联经典文库》

第二辑

2012年国家出版基金项目

《三联经典文库》编辑委员会名单

三联经典文库

118

西线生活

西北战地服务团集体创作

生活·讀書·新知 三联书店

图书在版编目(CIP)数据

西线生活 / 西北战地服务团集体创作. -- 北京：生活·读书·新知三联书店，2014.1
（三联经典文库第二辑）
ISBN 978-7-108-04753-3

Ⅰ.①西… Ⅱ.①西… Ⅲ.①中国文学－现代文学－作品综合集 Ⅳ.①I216.1

中国版本图书馆CIP数据核字(2013)第252737号

118 西线生活

责任编辑 唐思东 戴云波
封扉设计 蔡立国
责任印制 李思佳
出版发行 生活·讀書·新知 三联书店
（北京市东城区美术馆东街22号）
邮 编 100010
经 销 新华书店
印 刷 北京市松源印刷有限公司
版 次 2014年1月北京第1版 2014年1月北京第1次印刷
开 本 737毫米×1092毫米 1/32 印张 7.875
字 数 119千字
定 价 29.00元

凡　例

一、本文库为重排本，由繁体字竖排版改为简体字横排版。

一、以忠实于原作、整旧如旧为编辑原则，对当时使用的专有名词、外文译名，以及民国时期的语言和特色予以保留。

一、原书注释如旧，编者所出的注释，均以“编者注”标明，以示与原书注释的区别。

一、对原书残缺或字迹漫漶之处，以□示代。

一、对繁简文本转换时的“如右”、“见左”一类，对应改为“如上（前）”、“见下（后）”。

一、对原书中各种错讹脱衍之处，直接订正，不再以其他符号标示。

一、对数字、标点符号的用法，在不损害原文语义的情况下，做必要的规范。

一、本文库各书均前插原书书影、原书版权页和文库版“本书出版说明”。

一、本书出版说明的撰写，以客观中立为原则，扼要介绍本书的内容、版本流转、著译编者的情况。

本书出版说明

抗战爆发后，中共中央于1937年8月在延安组建西北战地服务团（简称“西战团”，主要由抗大二期四大队部分学员和组建中的战地记者团两部分成员组成，以丁玲为主任、吴奚如为副主任），奔赴抗日前线进行宣传和报道。“西战团”于9月出发，在山西抗日前线工作了六个月，行程三千余里，辗转十六个市县及六十多个村庄；1938年3月又抵达陕西，在国统区潼关、西安等地工作了四个半月。至1938年7月奉调返回延安，“西战团”在抗日前线共工作了十个月。在此期间，团员们白天边行军边宣传，晚上还要演节目，十分辛苦；有时则昼夜兼程，甚至是冒着枪林弹雨的危险而忘我工作，表现出了高度的革命热情。他们利用晋陕村村有戏台为宣传讲坛，运用大鼓、快板、双簧、相声、活报剧等民间艺术形式，把抗日救国的大道理深入浅出地传达给大众，收到了良好的宣传效果。

本书系“西战团”集体创作，由丁玲编辑，汇集了团员所写的文章三十四篇，前有“编者的话”，后有附录“西战团”出外十月的工作报告。诚如编者所言，本书是“西战团”“集体生活的表现”，从多角度展示了该团的抗日宣传活动，生动反映了当时西北地区的社会现实情状，以及一群充满理想与朝气的文化工作者对人生的思考与追求。撰写者不乏名家，如聂绀弩、田间、劫夫、周巍峙等。

本书被列为“西北战地服务团丛书之五”，由生活书店初版于1939年4月。本次出版，即以此为底本。

丁玲（1904-1986），原名蒋伟，字冰之，笔名彬芷、从喧等。湖南临澧人。1931年出任“左联”机关刊物《北斗》主编及党团书记。1932年加入中国共产党。1936年9月奔赴延安；历任中央警卫团政治部副主任、苏区中国文协主任、西北战地服务团团长、《解放日报》副刊主编、陕甘宁边区文协副主任等职。1949年后，历任《文艺报》主编，中央文学研究所所长，中共中央宣传部文艺处长，中国文联副主席，中国作协党组书记、副主席，《人民文学》主编，《中国》主编等职。1955年、1957年被错划为“反党小集团”、右派分子，下放北大荒劳动十二年。“文革”期间入狱五年。1976年后其冤案逐步得到平反。1984年中共中央组织部颁发《关于为丁玲同志恢复名誉的通知》，评价她是“一个对党对革命忠实的共产党员”。1986年因病在北京逝世，享年八十二岁。1927年开始发表作品，代表作有《莎菲女士的日记》、《太阳照在桑干河上》等。

生活·读书·新知三联书店
2013年8月

1939 年 4 月生活书店初版书影

西北戰地服務團叢書之五

西線生活

每冊實價國幣柒角

著者　西北戰地服務團集體創作

總經售　生活書店

中華民國二十八年四月初版(S)

總 0560—1—1000

原书版权页

目次

照相目次

服务团成立了，年轻的人紧紧地站到一起。

许多人的心聚合在一个旗帜的领导下，我们行进到太原。

我们在西安

这是1938年底夏天，我们又穿上了白色的短衫。

这是在街头演出的史诗

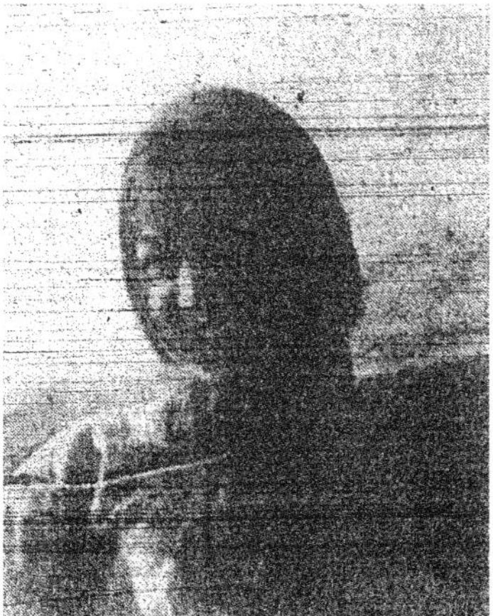

我们出演《放下你的鞭子》
的杏姐夏革非同志

我们在前方八路军总政治部公演的观众中有：朱总司令、外国记者、任弼时同志、贺龙师长。

《突击》剧本的制作者及协助者丁玲、端木蕻良、萧红、聂绀弩、田间、塞克。

《突击》的导演塞克同志，在严肃地监督制作布景。

我们的同志做了抗战的工人，在制作一个抗战的剧的布景。

那时刘村还在我们手里，趁着布景就演相声了。

我们穿上平剧的服装，公演忠烈图：那里说明了人民怎样反抗着。

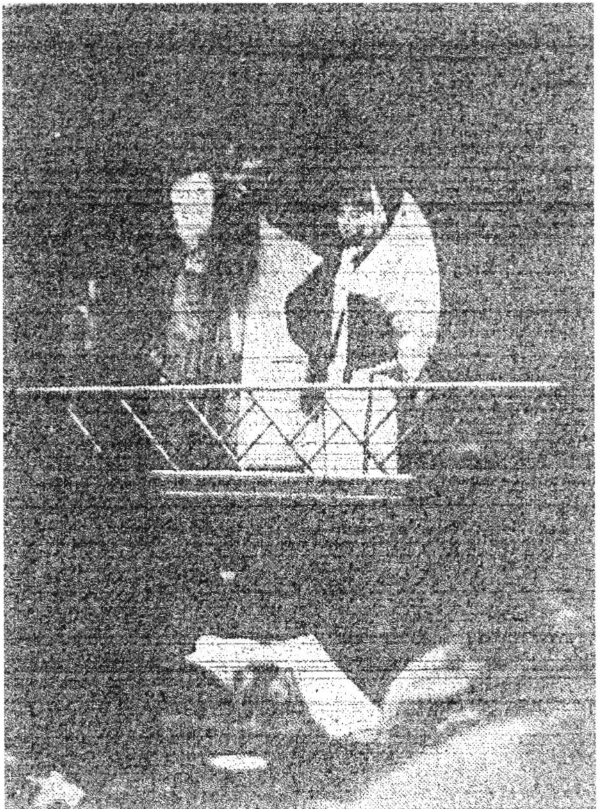

“来，来，来，杀了我吧！”

我们锻炼着走到群众中间去的歌唱

西北部的墙上到处都可以看到我们的笔触

我们写着“肃清汉奸”的标语，在民众的街头。

“拥护蒋委员长领导抗日”——我们写出的标语之一。

写标语的西安顿然有精神了

争取国际友军

不幸被涂掉的标语漫画

我们的“救亡室”，——它的一角。

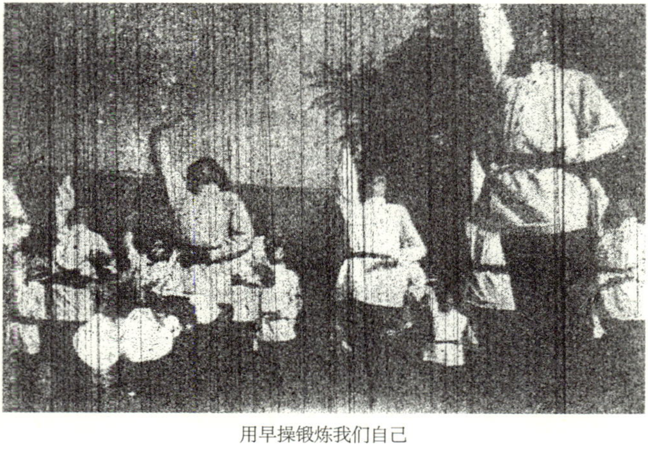

用早操锻炼我们自己

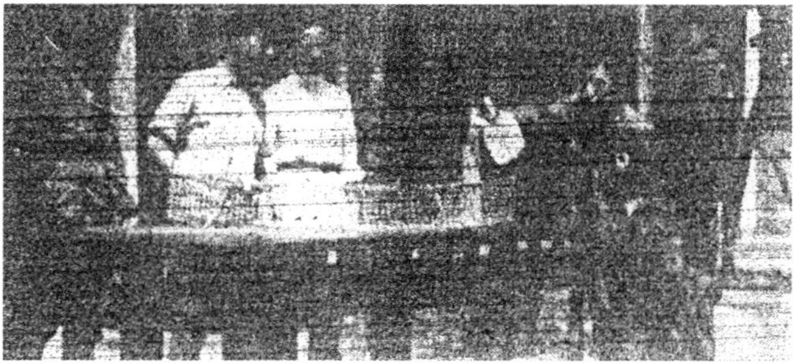

我们举行乒乓赛

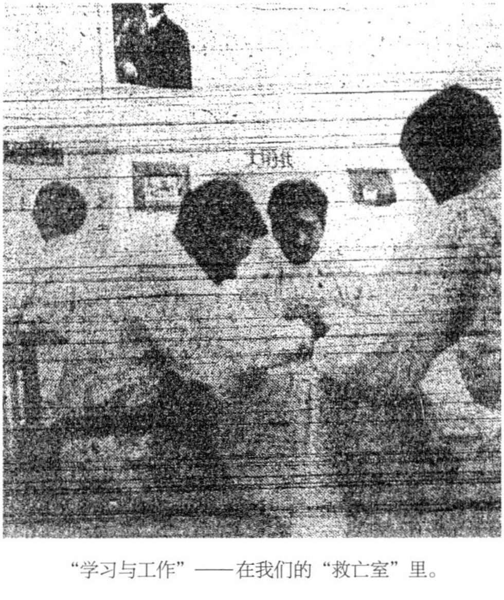

“学习与工作”——在我们的“救亡室”里。

听，丁玲同志在发言了。

快乐的擎着胜利品

给奖者丁玲，受奖者周巍峙，他身上记上了光荣的符号！

又挤在一团

一下车，我们便被欢迎着，我们离开这母亲的怀抱已一年了！

编者的话

丁　玲

编辑这本书的动机，是华帝写信给我，说外边很需要这样的书。同时服务团每个同志也经常谈到应该有这么一本书。于是就着手计划，这还是在万安镇的时候。

编这书是困难的，比不得其他集子。如歌片、剧本，都因为平时要演唱，环境迫着大家在百忙中写了很多，而且都是就着个人的兴趣写作的。而这本书却要大家整理个人经验，要具体，要有味，要使人欢喜看，却不能于人无用。服务团的同志们，大都是二十岁上下的青年人，他们知道如何做工作，知道如何做是对的，都很老练，能说话，可是要他们组织文字，他们还不能很习惯呢。所以每次计划都失败了。开始时是我按工作部门，指定各部门负责的同志写稿，每人一篇，题目是很详尽的。可是限题目交卷就做不来，有些人就不敢下手。于是修改计划，只大体分门别类，自由选择。文章就陆续交来了，大半是杂感，有些呢，又太生硬了。接着到西安去，因了工作的忙迫，只得完全搁下。但我在公演中，在出小型报纸中，在壁报上，鼓励他们多写。果然，都写起来了。我便在这里留心，将一些可以用的稿件保存了下来，不觉之中收集成这本书了。严格的说来，自然还不够得很，不足以表现服务团的工作和精神。可是我自己感觉得很满意，第一，因为我的计划终于完成；第二，大半没有写过稿子的人，也居然写的不错；第三，各部门的工作都略略有一些，可以稍稍介绍一下服务团了。年轻的人，是有工作热情的，有勇气的。服务团的工作，只是开始，还将有更大的任务在后边。所以这本书也只是开始，跟着工作，将有更丰富的，跟着学习与经验，将有更漂亮的集子在等着我们来创作呢。

这本集子因为是集体生活的表现，力求其普遍，所以有些文章是割爱了的。因为不愿材料重复，和只限于少数人写，所以也录取了每篇似乎比较幼稚的作品。因此勤务员的，炊事员的，似乎离艺术还远的一些试作，然而因为他是我们一分子，所以也选登了。上了五十岁的人，从文盲转到成天偷空就写字，这种教育的成绩，我们实在引为自满呢。

战地服务团已经在西线上活跃了一年，这本简略的记载了一些工作与生活的书就算一个总结吧。

我们的戏剧与杂耍

戈　矛

一

一般说来，对民众宣传工作，街头讲演，口头宣传，个别谈话，固然可以起不小的作用，但据我们数月来的工作经验看，收效最大，成绩最优者，还是戏剧的广大诱引鼓动的力量，来得更大更切实些。

因为戏剧最能够感动人，它可以直接以真实的动人的故事表现给观众们看，观众也可以直接从这里面认识许多真实的事情，而且更可以得到抗战的切实的经验和教训！

现在，亡国的危机一天天在加深，加重，像一块巨大的磐石压在头顶上，要活，就得奋力将这块巨石踢开去，击碎了它。因此，在西北战地服务团内以前完全没有写过剧本的人，现在为了自己要演剧，便不得不勉强捉笔了。

我们改编的剧本有《敬礼呵》、《抗日军》、《放下你的鞭子》、《保卫 ××（×× 系地名可因时因地随时更改）游击队》，这是由《林中口哨》改编的独幕剧，另外，还有《卢沟桥事变》、《最后的微笑》等。《最后的微笑》是独幕哑剧，上演的次数并不多。除改编的以外，我们自己创作的也有一些，譬如:《东北之光》、《王老爷》、《重逢》、《参加抗日军》、《汉奸的末路》、《一群汉奸》、《小英雄》、《突击》等。这些剧本中，街头剧、歌剧、儿童剧都有。《突击》是最近刚完成一出三幕集体创作剧，现在就要上演了，至于这出剧演出的效果怎样，那只有让将来的观众去评判吧，在这里不再赘述了。

这里要说的，不久以前我们曾写了一个有趣的旧形式的新剧，叫做《三打雁门关》，这是完全利用了旧剧的形式写成的一个独幕剧。化妆、唱白、插科、打诨、纯粹是旧形式的。然而，内容却是以夺取雁门关，穿插成的新的真实的战争的故事。在这幕剧里主要的登场人物都是现实里的人物，譬如：朱德、贺龙、萧克、板垣等。这幕剧写成后，只上演过一次，但意外地得到了观众的爱好。我想，观众们爱好这剧的原因，不外有二：第一，故事是真实的；第二，是新奇。大家在战地上看腻了话剧，突然出演一出新奇的旧剧，换一换口胃，自觉别有风趣，当然值不得大惊小怪。但这幕剧的缺点是不能普遍的上演，只限于在某种情形下的演出，而且还嫌缺乏严肃性。如果另有新故事材料，这种形式是大可以利用的。

短短数月来的演剧经验告诉我们，一般民众所欢迎所爱好的剧，是短小精悍、简单活泼、意义明了，含有煽动性和趣味性的短剧，与旧形式新内容的旧剧。因为剧情太复杂了，或者意义不甚明显的剧，他们很难理解，同时也很难被感动。唯有以单纯活泼的剧情，简单易明的短剧形式，才最适合他们的胃口，尤其旧剧的形式是他们所最熟悉的，也最容易被接受。

二

利用旧形式灌输新内容，到现在又成了一句时新的口号了。以前曾经有人否认过它的作用和可能，但现在证明它不仅可能而且还有很大的作用在。

我们认为旧瓶是可以灌进新酒的，但却并非毫无选择，而是批判地接受。在抗日的现阶段，无论哪种形式，只要能够增进一份抗日的力量，毫无疑问地我们就要采取它，利用它。

因此，我们除了一般戏剧宣传外，还夹杂了一些杂耍在内。在杂耍里包括了下面的许多东西："大鼓"、"快板"、"相声"、"合作"、"活报"、"双簧"、"四簧"、"评词"、"新化子拾金"、"打倒日本升平舞"等；这些东西全是最为民众所欢迎的。原因是这些杂耍用的形式，完全是旧的形式。它简单、活泼、诙谐、通俗。民众最欢喜，也最容易懂，最容易接受。

关于"大鼓"，我们纯是自编自唱，"快板"、"评词"亦然。"大鼓"有:《劝国民抗战》、《抗日救国十大纲领》、《大战平型关》、《拥护蒋委员长》；另外还有梅花大鼓、乐亭大鼓，这些是编给女同志唱的。我们每到一处都要唱"大鼓"给民众们听，每次都得到他们热烈的掌声和喝采声；同样"快板"《人民的力量到底有多大》、《到底有钱没有钱》、《大家起来干》，每到一处也都得到了群众的热烈的欢迎。“相声”中最有趣的是催眠的拉洋片，“合作”是最易逗引观众发笑的一种小玩意。还有一种以前在“红军”的部队中的剧团里最流行的“活报”，也是很好的一种宣传方式。“活报”本来最初时行于苏联，后来中国的“红军”把它学来，成了一种最新的宣传方式了。“活报”多是儿童扮演，它以简单的动作，灵活的队列方式，短短的含有韵节的话语，或以巧妙诱人的灯彩，灵敏的跳舞姿态，告诉观众以最动人的事实和故事，除苏联、中国而外，这是其他国家所没有的一种新颖的东西。

“打倒日本升平舞”，是民间最流行的“秧歌舞”之一种，也即是我们通常所说的“土风舞”。这种舞在东北以及冀鲁豫三省最风行。通常在秋忙后或旧历年关正月间，农民闲暇无事时，大家作为聚乐的一种游戏。现在我们叫它做“打倒日本升平舞”，简单的穿插起一段情节，化装成各色各样的滑稽人物。它的动作很简单，只是一种连续的扭动，或是队形的简单变化，一男一女的有趣的戏弄，边扭边唱，颇饶风趣。这种舞在舞台上扮演固可，在广场上群众绕起圈子，锣鼓齐鸣，尤为有趣。

我们常常在演剧之前，化装起来，敲打着锣鼓，在街道上，小巷中，广场里，扭一阵“打倒日本升平舞”，然后把观众逗引到剧场中来，每次都收到很大的成效，而且还得到异样的彩声和掌声。

当然，在原则上我们是主张能够创造出一些新的东西出来，不能尽迎合一般文化落后的、爱好低级趣味的群众，但这不是一下便可成功的，这要逐渐把大众的艺术水准慢慢提高以后，新的东西才能被他们接受。因此，在抗日的现阶段，我的希望，还是先洗一洗旧瓶，把新酒灌进去吧，不要泼在地上太可惜了。

三月十四日

关于本团抵陕后的公演

丁　玲

公演在我们本不是第一次的事，但这样的演出却是到西安后才有的。过去我们在山西，有时每天公演，头天晚上在张家庄把幕布捎了回来，第二个夜晚又在有几十里路以外的村庄上演出了。行军行了三十里、四十里，休息的时候，老百姓都围了拢来，打听得是西北战地服务团，于是吞吞吐吐说了些要求。那么我们不能不歇下了行囊，临时就选择了一个地方。戏台倒是每个村子都有的。如果时间长了，我们也连续一星期或四五天，每天换节目，每天插上几段不同的演讲，有次序的上政治课似的。这样的情形是经常的，同吃饭行军一样成为很便当的事。所以我们的剧本大都是很短的独幕剧，有一些是选择了现成的东西，有一些是临时编的，但大半都是一些煽动的口号标语。因为我们的观众不是兵士就是工农，我们的目的只在如何去教育他们，鼓舞他们，以帮助当地行政机关去动员和组织。因此在山西的五个月中，我们被山西的上下所欢迎，但因为时间的缺乏，关于舞台上的技巧，却研究得少，进步得慢，所以这一次的公演，在别的从事艺术的团体是很平常的事，而在我们却的确是不容易的。下边让我再讲一点关于这次的演出的经过，就是准备吧。

剧本是临时的拉夫，因为是有修养的作家们，所以就一口气答应了，几天之内，居然于十一号就脱了手。但在这短短的时间中，要将一切必须的事弄妥，又加上都是生疏的事，不能使观众满意、使自己无愧是意中的了。不过好在我们公演的动机，一方面希望在西安高明人士之前，求得正确的批判，以便于将来的工作的开展；另一方面也无非借用艺术的形式以达到宣传救亡的目的，愿万数的观众，在发扬抗战艺术的观念上严格地给我们批评，我们是虚心地等待着。

但像这样的舞台剧，是只能在比较大的都市才能上演的，也只有这种地方才有适合的观众。但在一般民众中，都还不能接受这种艺术。他们更喜欢一些旧有的东西，如二簧、大鼓、说相声之类的东西。我们在要使艺术大众化起见，是常常用了旧瓶装新酒的，并且很重视这一项，所以同时在准备第二次的公演时尽量供给一些通俗的，但是充满了抗战热情的玩艺儿，我相信那将更引起注意，和得到更多的意见的。因为这将引起对于艺术内容和形式问题的探讨的。

最后让我谢谢一些帮忙的团体和朋友们，尤其是救亡演剧第一队，要是我们没有这些朋友们将更受到阻碍的。

略谈《突击》的导演和演员

聂绀弩

西北战地服务团这回公演，据说是在有电灯的舞台上的第一次。他们并不是没有演过戏，在农村里，在部队里，在学校里，演过《八百壮士》、《重逢》、《卢沟桥》以及别的什么剧本，也曾屡次博得过观众的热烈的掌声，屡次把观众的感情和自己的感情融合在一起。可是那许多次的演戏，其实不过是算是在演戏而已，没有舞台，没有灯光，没有和剧情完全适合的服装和道具，甚至于连导演也没有。这并不是他们有意地因陋就简，却是因为他们的工作本来和通常的演戏有些不同，客观环境不容许他们有较好的设备。不但这些应有的物质条件不充分，就是演技上也不讲究。第一是他们没有一个人有过相当演戏的修养和经验；第二他们没有较深地了解戏剧的导演；第三他们从前的那些观众——主要的是农民和兵士——更很少有鉴赏戏剧的能力。只要是戏，只要有“情节”，只要看得懂，就足够了，这以上的要求是不会提出的。

这一回公演和以前迥然不同。关于设备方面且不说，第一他们有了一个导演，而且是一个很好的导演。我想观众中间知道塞克的历史的人不少的吧。从南国社的流浪诗人到现在，他已经在戏剧里生活了十几年了。不过他是寂寞地、孤独地生活过来的。为了他对于艺术的态度的严肃，为了一般所谓“明星”和“大导演”们对于戏剧理解的浅薄卑俗，和对于较高级的东西不能接受，他是寂寞地、孤独地生活过来的。虽然这样，他的坚强的性格，使他并没有在艺术的见地上退让一步。对于那些“明星”和“大导演”们是绝望了的吧，可是他相信一定会有理解他，能够接受他的见地的人，他期待着，寻求着。甚至于以为只要没有被流俗的成见所熏染，只要对于戏剧有着多少热情或学习的志愿，他都愿意把他十多年来研究和领悟的成果贡献出来。我不知道战地服务团的这班演员们是不是他所期待和寻求的对象，但是从他在排戏的时候，对于演员们的那种循循善诱、诲人不倦的态度，和那无昼无夜、废寝忘餐的精神，可以知道他对于戏剧对于演员抱着怎样的热望。

其次，演员们的学习精神是值得称赞的。我说过，他们都没有什么演戏的经验，恐怕对于戏剧的兴趣或理解，也不一定有。他们刚从北平、上海的那些大学或中学里出来，对于政治问题，尤其是对于民族革命战争，是抱着无比的热情来研究和参加的。他们所最关心的，想用最大的努力去学得或已经学得了的，是怎样打游击，怎样组织民众，怎样到军队去做政治工作。至于演剧，老实不客气地说：外行！也许以为只要背背台词就够了，或者只要自己的话和别人的话能够衔接，动作和剧情不会完全相反就够了，反正演戏不过临时客串，谁也没有想把它当作终身事业，何必那样认真呢？可是现在他们明白了：客串也并不是一件容易的事。戏演得太蹩脚，虽然也许可以换到没有看过戏的农民和兵士们的采声，却未必能够走上都市的观众面前的舞台。因此许多天以来，他们都不（知）疲倦地揣摩着自己所担任的角色的每一个细微的表情或动作，尤其是几个担任了和自己的性格不很适合的角色的演员。比如饰石头的萧陵，饰双银的何慧，饰田大爷的李劫夫以及饰福生的那孩子，固然是因为角色分配得适当所以特别显出演剧的才能，但饰李二嫂的革非却应该演娇憨的少女，饰童先生的余青，更是属于电影上的风雅小生之类。他们用多么大的努力克服了本来不能胜任的任务呵！青年们的前面是没有走不通的道路的。

我热烈地希望这次演出成功，这可以给他们一种鼓舞；如果失败，也应该得到谅解的吧。因为严格地说，这还只是第一次演戏。

从“花样翻新”说起

戈　矛

我们这次公演，显然和首次公演大不相同，别人会以为这就叫做“花样翻新”。

但“花样翻新”这句话的正确的理解是好的，并非是坏的；应和“出奇制胜”有别。这是反公式主义和形式主义的一个切实的回答，不过，这句话人一听起来，会感到有点不舒服。

我以为作为抗日宣传的戏剧，固是艺术表现方式之一。如果在抗战时期要拿艺术作为宣传的工具或武器时，那么在表现的方法上，它应该是多式多样的，不仅限于一种东西，或一种方式。无论哪种东西，只要能达到它的宣传任务，那就大可不必只拘限于狭小的范围内，或单单形成一种公式主义。因此，我们要对“花样翻新”

来一个新的尝试。

我一向是反对公式主义的，旧瓶新酒的改良京韵大鼓、新莲花落、说相声、土风舞、民间小调、花鼓、歌、……这些东西如果有人注意它，无论现在和将来都大有用处的，假使一任它病态的自然发展下去，那就不会有什么好结果了。

所以我们这次的公演，严格说来，并非正式公演，只是有阐明发扬抗战艺术应趋向多式多样，不必拘泥于一种形式，或一定的公式这一点。向来不被人注意的民间俚俗的艺术，细细想来，它也自有它的历史发展的根源，决不会因了少数人的唾弃而毁灭湮没了的。因此，在这次宣布公演时我们便来了一些土香土色的杂耍和一些逗人发笑的小玩意儿，如同快板、大鼓、合作、相声、新小调、打倒日本升平舞等等；然而，观众看后，却并不就此一笑了之。这些杂耍的形式虽然是旧的，但我们却给以新的内容，即使这种形式也不是毫无选择地就接受下来，而是曾经有过一番批判和挑剔的。

除了杂耍之外，当然这次仍然还有一幕话剧在内。

现在我们已经把这种俚俗的素朴的艺术……杂耍，

拿来作为我们的有力的武器与抗日宣传的工具。它在民众中间所起积极的深刻的影响，半年来的工作经验告诉我们是非常之大的。不过，这种俚俗的艺术对于一般爱好低级趣味的民众虽大有兴趣，但对于知识分子是否也会感到兴趣，那就很难说了。

最后，我希望讨厌“翻新”“花样”的人们，为了对民众作广泛的抗日宣传起见，不要太卑弃这些粗俗的杂耍吧！

四月三日

一幅升平的画图

袁　勃

由“打倒日本升平舞”想起来了，升平的画图，一幅升平的画图。在这画图里，胜利的曙光在我们的前面照耀着。

狂欢的日子要随着胜利的日子，给予所有中华的儿女无上的兴奋，无上的幸福，获得没有了人对人间的隔阂和压迫，共同为全体的优美生活而工作的日子……！

“打倒日本升平舞”告诉给我们这些了。我们每个人都有享受那狂欢的权利，可是，也正是惟其如此，我们每个人应当以自己的血去换得这幸福！

“打倒日本升平舞”中明白地显示着，最后的胜利的欢舞以前，我一切中华的优秀儿女，农工商学兵，曾经担负起最大的艰苦，通过肃清汉奸、驱逐日本强盗的血的斗争而获得的！

这正如我们的主任——丁玲同志在新年正月的“破五节”，当晚色朦胧的时候，对着山西洪洞县万安镇一千多看过我们跳舞、欢呼欲狂的男女老幼所说：“希望由于我们大家的努力，赶快能真正有这么个快乐的日子，那就需要年轻人赶快下决心参加一切抗日的军队与日本鬼子真正的去拼命；老幼妇女们也能有真正的觉悟，把‘抗日’看成自己的事情，尽量地做一些工作，肃清汉奸，报告敌情，壮丁们参加军队上前线去。那么，我相信，真正‘升平’的日子一定可以早一点到来的……”

我永远忘却不了当时观众的欢快情绪，他们是看到胜利的欢快向他招手，他们是有了英勇的走上前去的决心！我更忘不了等我们跳罢舞回来，有一个五六岁的小孩子，追随在拥挤的人群里，顽强的喊口号、唱歌的那种神气。当我看到他时，我抱起了他，随着如同海水的人群向前走，“打倒日本，除汉奸”的雄壮歌声中，有他坚强的配音。同时，歌声一起，那孩子的小拳头一直向我们乔装日本鬼子与汉奸的背上挥舞，他是真有极忿恨的姿态哩！由于这个事实，使我们想到，为争取抗战的最后胜利，全国同胞都已经起来了。

这一层，基于全国同胞对抗战的最高性的觉悟，不分党派，不分阶级，坚固的团结，铲除一切日寇的奸细，一致地为驱逐日寇出中国而努力，像“打倒日本升平舞”中的农工商学兵一样在粉碎了汉奸的阴谋诡计之后，加紧合作，才是我们取得最后胜利的保证！

但一切不必详细述说，谁也知只有用中华儿女的血才会画出中华的升平的画图！

写在第三次公演前面

丁　玲

从山西带来的是《突击》。《突击》剧本的内容，固然是还嫌简单，同时也未曾指出、暗示出一群没有组织的农民，是在如何方法之下，生长起来的。人民自觉地起来抗战是有的，但在已经开始行动的时候，就要有领导了。但《突击》是现实的，所以虽说有适度的灯光和美的布景，它仍是大众化的，因为这是以大众为主，又是在游击区最普遍的题材，并且正确地指出了大众应走的路。后来我们又介绍了一些新内容的旧形式。我们很高兴这些形式很快地就被其他团体采用了。说相声，演双簧，唱小调子，合作，这些被中国人民大众所习惯了的爱着的东西，已经一天天丰富了起来而教育着大众了。我们替小学生排的打倒日本升平舞，也拍进了伊万驷药电影镜头。而现在我们要走的时候，我们却留下一个京戏和秦腔。

为什么我们要花了大的力量来出演这并非拿手的玩艺儿呢？也许有些人又以为是旧瓶新酒的问题了。但这决不是主要的。旧形式应该选择地利用，已经不是近日提出来的话了，不特没有人反对，并且去实践了这理论的，也已不只是西北战地服务团一个团体了。西北战地服务团经常出演，借了戏剧的形式去做一些宣传教育工作，但它同时是负担了影响和推动当前的救亡的运动，所以它还应该以它的本身工作趋向来号召，以宣传的材料来供给，因为它不只是一个宣传团体。几个月在西安的逗留，深深的感到旧剧的势力仍是很庞大的盘踞在一般市民中。易俗社、秦风社、晋风社、世界舞台……都是每天客满，而喜欢看话剧的一些观众，都是带着研究和欣赏的态度，因为他们都是已有较高的知识、较新的头脑，并不是去受教育的。然而占去了大部分、包括了各阶层的观众的旧剧场，却仍是只有《四郎探母》、《三堂会审》……等。虽说有了易俗社的一般改良了的《李秀成》等，这种倾向是非常好的，只可惜剧本不多，所以影响还不大。我们为了要增强抗战力量，争取中国的不亡，必须动员全国人民参加抗战。旧剧界已经在各种筹款中，及其他方面尽了力。但如果能多多的排演新剧，既可以吸引观众，又可尽救亡的任务，因此战地服务团在离开西安之前，特别加力排练了这个戏剧，希望作旧剧界的一个参考（另外还有希望一文）。

我们决定了出演旧剧之后，凑巧翻着了老舍先生的两篇剧本，商量了一下，而且擅自改动了一下就用了。一方面是觉得内容还可以用；二来剧内的人物不多，我们还可以勉强凑上。谨在此致谢老舍先生。《双拾金》是裴东篱先生的作品，大鼓仍是由张可同志自己编的。

演员方面，可以说完全没有上过旧舞台，甚至连看戏的机会都很少；现在居然大胆的在十天之中，排练了这几个戏。这是由于为了工作，才产生了这勇气，技巧之不够自然是意中事。不过演员们的确是拼了命干下来的，尤以张克、革非、吴坚的不分昼夜的练习，同时全体团员之各方面的努力，也是使这次的工作决定，而得以完成的主要原因。

然而支持了这次出演的，却不只是我们自己团内的同志。裴东篱先生导演《忠烈图》的态度，使我们不特感谢，而且敬重;《烈妇殉国》的导演汪振华、萧润华两先生也是非常耐烦地指导，而易俗社的社长高培支先生、仰山先生及全体同志的帮忙，尤为感谢。此外，蒋志功先生、孙宝铭先生、吴瑜忠先生等都为了我们这次公演，尽了很大的力量，一并在此致谢。

这次公演的结果，一定是不能使我们满意的，同时也有辜负于爱护我们的诸君。好在来看戏的先生们都安排了原谅，而我们也只有以我们工作的动机、态度的诚恳、刻苦的精神，来希望着技术上的谅解。可是另一方面，我们却虚心的等候着严厉的批评和指正。

工作上的学习使我们渐渐长大了

—— 一年来歌咏工作的发展

巍　峙

服务团已经一岁了，这一年内的工作有许多缺点和优点，但是有一点最容易看到的是它的各部门在不断的工作中，也可以说在不断的学习中，渐渐的长大起来了。拿歌咏方面来说，就是经过好多次的实际困难，而用努力的学习来克服。这种学习不但推动了工作，完成了工作，同时也增加了自己的能力。

在服务团初成立的时候各种艺术工作上也没有什么基本的培养，就立刻赶到山西前线去工作。那时主要的工作对象是士兵及农民等，而我们所会唱的只是一些普通的救亡歌曲。当我们唱给他们听的时候，他们除了觉得好奇或好听外，很少听得懂的。我们为了想把这些救亡的内容传达给他们，我们曾费了好大的气力，喊哑了嗓子去教他们，但他们总觉得十分“别扭”，老是学不会，有时常会厌倦起来。这种情形，使我们的工作无法深入，感觉到有改变新的教材、新的教唱方法的必要。那时我们想到民谣小调差不多全是老百姓自己所创作的东西，在民间非常普遍，假使能利用他们所熟唱的东西，那一定能很容易地被他们所了解，所接受的。因此，我们开始向老百姓，向各方面的人学习各地的民谣小调，用谱记下来，根据原有的组织及情绪，加进抗战内容去。在几个月中，我们记了许多陕北的、东北的、山西的及河北等地的小调，因为容易唱，词又通俗，有许多调子他们本来就会唱的，教的方法又注意活泼有趣，所以很快的就流遍在每个走过的地方，歌词的内容也流传在这些地方老百姓的口边。

在我们开始记谱的时候，不知道用什么方式记谱最好，有时记下来的常和原调有不同的地方。不过我们在唱的当中改正了错误，在不断的记谱中也得到了一些经验。在伴奏方面我们还根据原调创造了不少新的方式，锣鼓也用来伴奏了。

同时，为了适合其他文化程度比较高些的人的需要，我们也附带尝试作些简单易唱的歌曲。这是因为交通不便，很难得到外间的材料，有些又不适合当地的需要，所以不得不从这方面加紧学习。至于旋律变化的不够，组织的松散当然是免不了的，但我们有的是学习的勇气，有的是尝试的精神，听了不好就改，改了再唱，唱了再改，太不好的就重新做起，从不灰心，因为这完全是为了工作。

至于教唱的方法也在逐渐学习新的方式。我们渐渐地知道了在什么情形下，用什么方式教唱，用什么方式把歌词讲给人听，用什么方法来引起学的人的兴趣；知道了在教的时候如何布置会唱的人在老百姓当中帮助他们唱，使他们会得更快些；更知道用什么方法来激发他们的抗战情绪。这一切都是在不断地工作中得来的。

今年三月初，我们转到西安去工作。

西安是西北最大的都市，文化程度较山西的县城村镇高得多了。因为工作环境的变更，使我们的工作又改换了新的方针。

小调在都市里虽也受人欢迎，但单是小调是不能满足都市的人们的要求的。他们要求听一些组织较复杂的歌曲，尤其是男女四部的合唱曲。他们不但要听，而且要学这些合唱。因此我们过去所会唱的以及自己所创作的几个简单的歌曲自然是不够用的了。在这样的情形下，我们必须多写歌曲，更需要写些合唱曲。于是我们又开始了和声上的学习及创作合唱的尝试。我们过去有些人虽曾看过和声学，并写过一些，但大量的写作，还是初次在西安四个月中。我们共产生了二三十个合唱，有二部，有三部，有四部，有的是创作，有的是改编，其中有些认为太不行了，没有拿出来唱，有些已在各处唱过，想得到别人的指正。

在唱的技巧方面，也有了一点进步。过去只知道唱歌，顾不到声音的训练，情绪的表现也很不够；后来为了想用更好的方法把内容更适当地传达给听众，我们已经经常地进行了发声的练习，并注意到音程的准确和感情的发挥。为了要教别人尤其是教学生，我们又经常的进行了乐理及指挥法的研究。

关于乐器，过去只是用在伴奏方面，但后来感觉到乐器的合奏也能引起一部分人的兴趣，因此我们就把那些京胡、二胡、三弦、笛子和口琴、提琴等合在一起，练习合奏，或单是口琴合奏，这些表演过几次，效果还不错。总之，在工作中，使我们发现了新的方式，对一切东西的利用也发现新的效能，同时这种发现不但推动了工作，完成了工作，而且也增强了自己的能力。

一九三八，七，卅一，延安

关于西北部的歌人
——西安歌咏界联欢回忆

田　间

西线歌声流到西安来了。在它流过的地方，那地方，便撒下了一些一些亲热的小种子。

在西北战地服务团的领导下，全西北部渐渐地会长成为歌咏的世界了。假使你们到这边来，你们会听到在街口，在学校，在兵营，……所唱起的小调、民歌一类的新声音——那就是西北战地服务团所撒的小种子，在活跃着，那就是西北战地服务团为了祖国为了人民而制造的小种子，在活跃着。由于这种子，西北部的民歌人也渐渐产生了；渐渐众多了；而且，渐渐团结着；他们不久一定会有一个大合唱，一定会有一个成群的集体的进行曲，在全西北部沸腾着！

一九三八年六月十九日上午，在西北战地服务团的救亡室，成立了在西北部一个空前未有的歌咏队联欢会。那里面包括了职员、学生、士兵、小孩……而他们是的确由于西北战地服务团的手搀扶站立起来的。我记得好像大概数过那些歌咏队，差不多有二十个团体。例如新学合唱队、姊妹团、星期歌咏队、新安旅行团、抗战剧团、儿童剧团、伤兵医院、陇海车上服务团……不数了，总之，这些团体，是会合到一起，是被神圣的歌而召集到一起的。

因为这些属于歌的团队啦，都和服务团有了“亲属”的关系——过去，“一个人两个人，不要紧，慢慢大家都会来的”。而到底弄成了他们一班又一班的歌咏队。

因而，在联欢会上，西北部的歌人们呀，要求必须建立一个统一的组织，——就是要求结成歌人们的统一战线。并且，要求创造新歌手指导的干部，……那意思，很明白，歌人们在担心服务团离开了以后，还要有单独作战的办法，而服务团的种子，才不会落在地上，便荒芜了。

我们也还看到，就在这伟大而战斗的日子，一些地方，一些歌咏团队，也还要摆出“绅士”或者所谓“艺术家”的歌喉，他们所唱的，他们的调子，总不大和我们的耳鼓配合，总不大和我们渴望粗暴而雄浑的节奏的那情感相配合，就是叫我们也感到它的柔软和平淡，何况在野的民众，何况在乡村的民众。

朱总司令回到延安，曾经有一次对人说过，西北战地服务团离开了山西，还有很多人唱他们的歌，也还有人就学着成立了像西北战地服务团一类的服务团。……我想：其间不外有这点道理，——服务团就是一个通俗的团体；我们唱的歌，许多民众的确喊过“欢迎”的，它也通俗，它也激奋，它里面也暴露着日本法西斯所有的凶恶，而且指明要全中国人“团结！”“起来！”“抗争！”

对于美术宣传的意见和我们美术组的活动

李劫夫

抗战发动后，在我们的艺术上的一个严重的问题——艺术作品到大众中去得到了相当的解决。因了政治军事上的需要，我们不能不用一切艺术部门作为宣传动员民众的工具，因此我们看到了戏剧歌咏以及绘画等，都开始了从大都市往乡村移动。这不单是这种艺术形式的移动，而且从形式到内容都起了相当大的转度。就是说为了实际的需要，这些艺术的对象都有了变化，由知识分子小市民而变成了文盲占着大部分的农民工人和兵士，他们所需要的是通俗化大众化。所以我们在戏剧上有街头剧，在音乐上有利用民间小调的种种的办法。在绘画上，尤其是漫画上，也起了相当的转变。原先那些出现在上海市面的，专以女人大腿，低级趣味的色情漫画，现在是都销声匿迹了，出来代替它的是民众的巨臂和战士的来复枪了，即原先反对把这种绘画——漫画做为政治宣传的工具的极端享乐主义的漫画作者，现在也抛弃了他的成见，而从事于抗战漫画宣传了。这是一种必然的很可喜的现象。但是我们的漫画宣传工作做得还不能算够，在我们的漫画宣传形式和内容上还有着很多的缺点。一般的讲来，我们的宣传漫画的技巧是都不够的，这当然是因为中国在新兴美术的历史是很短的，漫画艺术才只是个几岁的幼儿，这个缺点我相信可以在我们更多的漫画作者从事于实践的长期的工作中可以进步的。成为一个比较严重问题的是我们的漫画的内容的问题。我们通常在街头上墙壁和壁根上见到的宣传画，内容多半是一些公式化的口号，大部分的是以漫画来作为一个标语的说明，这当然是一种很对的办法。但是我们要把漫画这种艺术完全用在这上面是未免太小用了它，我们可以尽量的用各种形式来发挥这个作为宣传工具的漫画的特长。在中国有着广大的百分之八十以上的文盲群众，对他们宣传是文字的力量达不到的。对他们宣传除了利用戏剧歌咏讲话，漫画是最好的一种工具，它有着比其他艺术还好的特长，就是我们画出一张画来贴在墙上，可以有很长的时间去给群众们去欣赏，他可以慢慢的去了解它，不像戏剧似的演完了就算完了，只能叫观众在很有限的时间内去了解它。

在我们从一年来工作中所得的经验是宣传画，以连环图画最能受群众的了解和欢迎，因为它是用故事来组织成的，群众可以藉着故事的发展而更有兴趣的去欣赏它，他可以把这故事永远刻印在脑筋里——假如他能够了解的话。关于连环图画的绘制技巧，我以为最重要的是写实，决不应该在画里面出现一些像其他如政治漫画里所出现的奇奇怪怪的人物。如果在连环画里面要画一个日本兵，决不要像政治漫画里面可以那样的夸张讽刺的，他应该是比较写实的，但是我们还必得注意要他不至于和我们自己的战士一样了，可以用写实的手法去精细的表现它——一个凶残的愚蠢的刽子手似的人物。表现方法我认为不一定完全中国化了（画法）才能受到大众的欢迎。西洋绘画技巧比较中国绘画的技巧是写实得多，尤其是人物。我以为我们还是利用西洋画的技巧为对，像德国柯罗意支的绘画技巧是很应该我们学习的，他那种表现深刻、情感阴森的富于反抗性的画面，很适合于用来表现现在中国的抗战的故事。提到利用西洋画的技巧来画我们的连环画的问题，想起了一件流行在我们的画坛的一种毛病，就是画家不但是利用了西洋画的画法，而且还利用了西洋人来代替了中国人，就是在画上他们画中国人往往都是穿了中国人的服装而生着一个西洋人的脑袋，他们往往把中国人画成了一个大鼻子和深深的眼窝的人物，这是最要不得的。记得有一个漫画家，他发挥自己的所以喜欢画外国化的中国人的原因，是因为他看到中国人太不健康了，太没有力量了。我想这当然是个相当错误的见解，我以为即使中国人是不健康的，没有力量的，我们也不能用西洋人来代替的，正像我们抗战之不能靠外国人来代替一样。我觉得我们中国的大众，工人，农民，兵士并不是不健康的，尤其是在现在中国人正在做着人类史上的争取生存的伟大的战斗，在主观上或客观上我们中国人也应该是健康的，即使他在体格上是不强壮的，但是他的战斗的精神是健康的。我以为做为一个进步的画家必须到民间去学习，多多地观察群众，拿群众做他的范本。

关于连环画的内容，最要紧的是故事的真实，最要不得是公式化的故事。一组能够引起群众欢迎的故事，必须有趣味，能与他们的生活有关系的故事才好。我们团里的壁报上每期我都要画一张漫画，假如你要画一个一般的题材的画，不能引起大家一点的兴趣去欣赏；但是如果要画一张描写我们生活上有关系的漫画时，大家都会集拢到壁报前去看，又说又笑的去分析这张画，哪一张是讽刺了谁，那一个人像了谁，看得满起劲。这是什么？这就是因为它与我们的生活发生了关系。由此我们可以知道，能够引起群众欢迎的故事一定是与群众的生活有关系的东西。

在山西的一些城市里，也有很多人把政治漫画画到墙头去，我们也曾画了很多。但现在检讨起来，这些画都犯了同样的错误，就是这些漫画，大部分都是从外国的政治漫画的画法画下来的，那些夸张讽刺表现的手法，是不能被我们文化落后的民众所能够了解的，不但一般民众不能了解，就是一般知识分子也不能了解。我时常遇到朋友们拿一张外国政治漫画来问我“这是什么意思”？对于外国漫画，除非少数有看漫画的习惯的知道了所有的那些讽刺夸大的表现手法的人以外，是不能被一般人所能了解的。所以我们画一张政治漫画，把一件政治情况介绍给群众，一定不要用那些外国漫画的表现手法。我们的夸大讽刺必须从群众们所知道的一些事物中去找那些用来作为讽刺与夸大的手法。

其次我谈到木刻来，在现在我们的印刷制板都陷于困难的地步，我们的绘画画出来只能是一张，对于宣传上的需要是很难供给的，它不能传布得很远。但是木刻是补救了这个缺点，只要刻出来一个底板，随便印出多少都可以，这是再好不过的宣传工具，尤其是用它刻连环画更是便当得多，它有着明快的风格，能够使群众一看就能了解，无怪众人们称它为大众的艺术呢。

在我们的木刻界有一种理论，就是主张木刻中国化。在西安时有一个人在看了我们的“旧瓶新酒”的杂耍小调子等类的东西之后，他于是写了篇文章，主张木刻画，也应该“旧瓶新酒”起来。他主张现在刻木刻，应该利用中国固有的木刻的刻法，我认为这不正确的。我们知道中国“古已有之”的木刻，除了做《西厢记》、《金瓶梅》等色情小说的插图的以外，便是那些刻画神像的东西，那种没有力量的幼稚的技巧，决不能用来表现出我们这个战斗的时代的事物来的。尤其是不能否认的，现在中国的新兴的木刻是因了中国这个时代的需要，再受了外国尤其是苏联的木刻作品介绍到中国来才刺激了中国新兴木刻运动的发展。中国新兴的木刻自从呱呱坠地之后就跑到战斗中去生存了，所以我们的新兴的木刻是在战斗中成长起来的，这些从事于木刻运动的人都是些青年。中国的新兴木刻并不是承受了民族的木刻艺术的传统而发展下来的，所以我们反对那种主张以中国过去所谓木刻的作法来制作现代的木刻的见解。我相信，那些从很多外国木刻作法溶化来的现在的中国的木刻作法是很能够被我们的大众接受的，我觉得我们在现阶段中国的木刻运动上，应该特别提高的口号就是要求着写实的问题。我以为在木刻运动上的形式的问题是很次要的。约瑟夫关于苏维埃文化的民族的形式和普罗列塔利亚的内容的关系的问题，发挥了他的理论，他以为“内容的发展的优势可以克服民族的形式”。这问题在中国的木刻运动上足足证实了他的理论的正确。但是我们并不反对多利用一些接近“中国化”的“阳纹”的线条的刻法，这种刻法在西洋的木刻作品上也是常见着的，尤其是德国的木刻作品上。我想假如我们要想在木刻上要“中国化”起来，这种办法该是正确的。我相信我们要用一种更写实的这种刻法，决不能使老百姓不接近不了解。这比我们“古已有之”的木刻，把人脸和衣服刻得非常平淡的不接近实际的刻法，是更会使老百姓接近的。当然我们也反对那些西洋味道太浓厚的，明暗太明确或不明确的那些刻法，这种刻法尤其是在没有一些基础的木刻作者是容易弄成一张莫明其妙的作品来的。

在延安的一些木刻作者，在使木刻作品怎样的接近群众的问题上，下了很大的工夫。在木刻作品的写实上画面的明快上的代表作家有江丰同志的木刻，他最近的一个木刻连环画《平型关》是一个很好的东西，他打破了过去中国木刻界的那些粗制滥造的缺点。我们希望他早日完成这一部巨制。在努力接近“中国化”的作者们是鲁迅艺术学院的一些同志们，他们近来刻了一些接近“中国化”的“阳纹”的东西，并且还涂上了水彩颜料。

我想这倒是一个很好的办法。

我以为一个从事于艺术工作的人，是应该把握住正确的理论的。正确的理论唯有在实践中才能证实他的正确性。我们西北战地服务团的美术组（过去叫张发组）在一年中也曾做了些美术的宣传的工作。在最初，我们只知道把宣传画画到布上，随身带着到处去拿出来给老百姓们看，并且在旁边给他解释着，在墙壁上只知道写标语，而不知道往上面画漫画。但因为在工作中我们发现到了那些很平的砖墙上是可以画漫画的，由一种白石炭而进化成用几种颜色。现在我把我们怎样来做美术宣传的一些小小的经验写出来，这也或者对于才开始做美术宣传工作——像我才开始时的那样的人一些帮助吧。

关于标语，最初我们只用了白石灰用水调了拿扫帚往墙上写，当然是并不美观，我们曾这样的涂遍了陕北往山西去的山路石头上。后来我们才发现了这样做是不够的。我们看到了市面上有卖着的红土子可以用来描边，把标语字装饰一下子，这样一来我们的标语就大大的生色了，涂到老百姓的房子上不再像过去一样的他们不高兴了。在我们写标语的时候，时常有老百姓来拉我们去到他的房子上写几条去。由此我们看到他们已经把我们的标语当做装饰品去欣赏了。在山西每个县城里都有着写着标语的墙，那些标语差不多都是乱七八糟的写着的，把墙壁弄得一塌糊涂。我们看到了这种写法是不好的，所以我们写出每一个标语都是用了很大的心机去设计它。最初虽然很慢，但后来写得多了，熟习了就会快了，我们的标语在山西是被一般人所称赞的。

我们对老百姓的标语的内容，曾极力的避免了那些不会被老百姓所了解的公式化的字句去写。我们常常把老乡性的口头语写上去，使得标语通俗化了，更活泼些了。后来我们的诗人们还写出来些很短的诗来给我们写在墙壁上，这可以叫做街头诗，也可以叫它为通俗化故事化的标语用。

我们到西安后，见到那里的墙壁上的标语太少了，简直是没有，所以我们才请示了当局的许可，到街上去写了很多的标语。在西安街上走的人们都很注意到我们的标语，商店老板时常把我们写标语的同志请了去给他们写招牌。我们在西安的街上是写了相当多的标语与漫画。后来有人说我们写得太多了，同时发现了我们的标语白天写完了，晚上就会被人们给涂去的，但是我们到白天还是照旧去写出来，因为当局并没有停止叫我们写。但是到了晚上还是会被人家给涂掉了的，后来我们感到这样下去是不好的，我们和抗敌后援会的负责人接洽好了，我们情愿不出我们西北战地服务团的名字，而去代替他们写，那时正值西安陕西省各界雪耻兵役宣传周运动。抗敌后援会的人们认为我们写标语的技术很好，于是请了我们去给“雪耻兵役宣传周”写了很多标语，所以我们后来写的标语都是落着“陕西省各界雪耻兵役宣传周”的名字，同时我们还参加了西安学生分会的农忙运动，给他们到乡村去做了很多标语和漫画。

关于漫画方面我们最初只是在布上画些宣传画，带着到各处去给老百姓看。但我们后来感到这样不能给老百姓更深的印象的，于是我们把漫画和标语一样的画到墙上去。最初因为工具和颜料的不好，所以现在想起来那些画是一定很不好看的，但是当时也是受到老百姓的欢迎。在画画的时候，老百姓一群群的围拢来看，一边看一边考究。在这时候我们还征求了他们很多的意见，让他们给我们的画一些批评，虽然他们是那样客气的，只会说“美的很”！但是我们可以在从他们对于这幅画的解释中，知道了我们所作的画是否能被他们了解和起了些什么反响。

由工作中，我们慢慢的注意着我们的宣传画的改进。后来我改良了我们的工具和颜料，我们用三种极其便宜的颜料来用，就是白土（比石灰好用得多）、红土和煤烟灰。用这白黑红三种颜色画在灰砖墙上或黄土墙上，颜色是极其调合而美观，而这三种颜色又是无论在什么地方都可以买到的。一毛钱可以买五六斤甚至十几斤。

当山西的战争吃紧的时候，我们离开洪洞、临汾南下。我们检讨了过去没有做到了对敌人宣传的事，我们又见到临汾危机的情形，于是我们又大胆的在临汾的街头上画了很多对敌军的宣传画，在离开运城的黑夜我们还赶制了三张对敌军的宣传大画，这些地方已都沦陷在敌人手中了，不知我们的宣传画遭受了什么命运。

在山西我们从八路军总部得到了一个消息，就是敌人打算消灭我们西北战地服务团，也许这是因为他所占领的那些地方太原、榆次、太谷等地都有着我们的宣传和标语。“西北战地服务团”的名字，在他们也是并不生疏的呢。

到了西安，我们也曾跑到街头上去画了很多漫画。记得有一次我在墙上画了一张“驱逐日本强盗出中国”的画，画了一个中国兵在追赶一个日本军阀的画。住在那附近的一家人的一个不到五六岁的小孩子他每天去到画上去用他的小脚吃力的去踏那个日本军阀，过几天后那个日本军阀的小半身子整个的都踏没有了。后来我又把他重画了一下，但是他还去踏，只到踏得他够不着的地方才算完，弄得一个日本军阀简直是“体无完肤”了。但是我中国的兵士却永远占在那里，而没有人动他一点。由此可见宣传画是怎样的受到群众的注意，我们的群众，甚至那样小的孩子都对于日本帝国主义有着如何的痛恨。

在木刻方面，因为工具买不到，所以在这方面我们还没有做什么，直到到了西安好容易才买到了一付。我们打算在将来再到战地去的时候，我们一定在木刻上尽量的发展一下子。我们的美术组的同志们想着要用最大的努力，在我们的紧张的战地工作中多创造些教育和鼓动群众的木刻作品，尤其是木刻连环图画。我们预备每到一处即出一个漫画与木刻的壁报。我们美术组里面的同志都是些没有专学习过美术的，但是我们都不断的在工作中去学习。过去的一点画都不会画的同志，现在已经能画得出很好看的画来了。我们把工作当作学习，把战地作为我们的学校，我们要在这个持久的抗日战争中去锻炼我们的绘画，我们相信一个进步的画家是应该从战争中成长起来的。

这样的记者生活

史　轮

进了西北战地服务团，我就成了一名记者了。

记得刚进来的时候，听说工作委员会把我分派到通讯股去工作的消息，我很害怕。本来诗、文章是写过一些的，但记者的工作莫说做，见也未曾见过，那怎能成呢？一个一向生长在冀鲁边境的荒僻乡村的人，很少见过世面，知道见了军政界的长官们怎么说话呢？

于是我去见主任。

主任说试试看，这里的六七个记者也都是些文艺青年，并没有什么经验，我们是要学着做记者的，天下哪有不学而会的事情。

因此我终于做了本团的记者，并且快要一年了。

在太原，我看到克寒、天虚他们整理稿子，印油印。

印好又一点一点仔细地校改，真是麻烦，劳苦，往往弄到半夜；市民们到地洞去躲避死神的时候，他们也仍在冒险而工作。

他们弄好了，贴到我们的壁报上。我读了，便知道了本团由延安到太原的种种情形。

以后，整天忙着行军，而且我的身体是初学吃苦，所以一直到马牧村住下来，我才第一次写通讯了。

未到马牧村以前，我连想也没想过写通讯，行军中的饥饿，疲倦，把我整个的思维陷在失望与苦恼里边。这时由平汉到太原，由太原到晋东的所见所闻的那一切初期作战的失败情绪和自己被迫而离去温暖的故乡的郁愤使我的头脑像神经病患者一样，除了给壁报写几首短诗之外，几乎什么也没做。而且那时看到唱大鼓、演话剧的效力太大了，自己很想做一个口头宣传者，衷心颇有点“文字无用”的想头了。后来看见天虚写成了他的几万字的《两个俘虏》，戈矛从寿阳回来，也写成了他的《寿阳的陷落》。我这才有了要写通讯的动机。

然而写什么呢？

我很苦于没题材。因系初进团来，工作比较少，团体对我也没有十分把握，当然团派我出去采访，因为这不是容易的事，自己也没有经常抓取题材的经验，因此很多宝贵的材料都放过去了。

后来看到袁勃由一些日常的见闻写成了好些通讯，而且写的还很有价值，自己也就开始留心并不像平型关战斗那样轰轰烈烈的事情；于是抓取自卫队啦，妇女救国会啦，动员情形啦，民众生活啦一类的小题目写成了些小的通讯。这些小的通讯给同志们一看，他们说这就是很好的材料，通讯不一定非写战斗的情况不可。

以后，我就专心要做起记者了。我这时已明了了持久抗战的道理，艰苦的生活也习惯了，心情就好转起来，所以就专心从事采访写作的工作。然而本团的记者却不同于其他报馆的记者：我必须经常地配合本团其他各组的工作，必须随着本团的行止为转移，必须学习本团分配的政治、文化课程，必须帮助本团做文化教育宣传工作——那么，就不能经常地去采访，经常地发出稿件。因此采访、写作就必须利用每一个时机，赶忙地做，像行军中的十五分钟的休息，或者某一个公演没有自己脚色的时候都是我通讯工作的机会。有时没有桌凳，就得爬在炕上写；不然稍一迟延，就有制歌、排剧、讨论会一类的事降在你的头上。

采访时，我们有印好的表格，里面关于政治、经济、军事、文化，甚至名胜古迹，歌谣俚语都有；但有时不能用。——这也是我们的一种经验；譬如老百姓本来谈得很起劲，谁知一填起表格来，他反而吞吞吐吐起来。后来知道他们把我们误解了，把我们原是储蓄材料（预备将来有机会写成更复杂的小说）和便于写通讯（采访者忙时交别人去写）用的填表误认为又是什么委员调查什么秘密预备带什么灾祸给他们呢！于是表格有时就索性不用。

军政机关的采访有时只是照样的文章，真实的材料非找下层的军民又不容易得着，所以我们关于一个较大的事件往往就分头去进行，然后制成一个集体的通讯。

到西安后，因为通讯股缩小为通讯组，只剩了我和田间两个人，就不能再那么严密的分工了。诸如编辑、发行、采访、壁报都由我们两人担任，所以不得不常常开夜车，有时干到练习拔音的号兵吹出了曙光的时候。而且我们也不能经常到火线上去，所以这时的通讯多半是后方的题材。偶然写点战事报告，那都是由前线回来的人们听取的。

然而我们也到咸阳去了一次，而且常常到西安近郊的乡下去。

回到延安之后，跟着延安文化工作、宣传工作的紧张，我们参加了街头诗、传单诗、诗歌朗诵的运动，参加了改革旧剧及怎样利用旧形式的运动。因此通讯工作比较做的少些。

现在，搬上山来，我们又偷着加紧学习的余暇正在做延安及乡村的采访工作哩。

我相信，我的记者工作是比初来时是进步了。但主任前晚开会的时候仍然说：

“你们还须加紧学习怎样做一个好记者！”

不久，到冀察晋边区去；到那里我们的记者工作当能有很好的开展与学习的机会。

割麦

邵子南

陈明是个很会做青年工作的身材小巧的青年，像一个七八岁的小孩子样地在树荫下蹲着，同一群光屁股的小孩子弄得极其亲热。

——你会不会唱《向前走》，他问。

——会的，会的，九岁大的蓄着一撮头发的孩子跳跃着回答。

这孩子赶快去扑一只胆小的还不能飞的小虫子去了。

——他叫什么，陈明问另一个孩子。

——阿福，孩子答。

——阿福，你还不来？陈明向阿福招手。

一个预备去割麦子的农夫，手里握手镰，站着看得呆住了，一句话也不说地张望着被奇异弄迷惑了的眼，仿佛在读这新时代的神话样的故事。

这是不足为奇的，当我们在山西到处做工作时，都是这样去接近老百姓的，根本我们便是像青草密切吻着大地一样地与老百姓不可分离的。我们大多是二十岁上下的农民的儿子。我们便这样地把争取生存的真理传播在乡村中去了。

我们到城外去帮助乡下人割麦。

太阳用着强烈的光辉与热力很深挚地爱抚着大地，金黄色的麦颗已经熟透了，宇宙间似乎在说着神秘的话语：

——伟大的创造呵！伟大的成熟呵！微笑的光明的天空说。

大地愉快地缄默着享受着愉快的赞美。

人体里极强度的活动力在发挥着，出着多得像是在洗澡一样的汗水。我的另一个同志，从前是个大学生，连短裤都打湿得能够挤出水来了，依旧迅速地像剃头发一样地割着。

大学生最后像塔一样站起来，静静地像在深省一样地说：

——为什么这样香呢？这些熟了的麦子？

我们穿着全副武装到这儿来，那个忧心过重，显然十分衰老的农人，似乎不大相信我们，但待到我们把衣服脱了，走到麦地里工作的时候，他才彻底了解了，另外再拿一把手镰来笑嬉嬉地说道：

——这一把要快些，——你们捆得不得法，应该这样来，两方来束麦草，打一个结，——再捆上就完了。

铺满平野的一望无际的麦草，老得快要自动落地了。

每一个经过这里的农人——他们都忙乱着在收获里，运着一大车的麦子，在这里迅速地驰过，都向着我们微笑着，告诉我们一些含糊的可是很亲热的话：

——唔，……好的，……今天……

——汗水……

带去的，做为娱乐他们的话匣子在树荫下面老是不烦厌地唱着狭窄的喉咙，一些妇女们围绕着它，我们的女同志在向她们讲述失陷区域的妇女的故事。

临走时，一个妇人挽留我们：

——你们来替我们做事，吃了饭去吧！

我们向她解释了，可是那个十分衰老的农人又来挽留我们：

——别人心里怎么下得去呢？

最后，他从家里拿出新麦子做的馍，一定要送我们每人两个，我们委婉的拒绝了他。

我们给了那个苍老的，据旁人说，他是一个孤人的农人一角茶水钱，我们喝了他许多水，他稍为犹豫了一下，便坦白地把它收了。

——累了吧，他说，——应该息一息才是。

他慢慢的，仔细的折叠着那一角纸票放在口袋里，关心地讯问我们：

——你们好多钱一个月？……你们吃得好吗？他像感叹一般地说：

——你们太辛苦了哦！太辛苦了！

这样的两种心的融洽，她们的是阴郁，拘谨，农民式的保守，畏缩，我们的是豪放，外乡来的军人式的大胆，冒险：——简直是不容易令人相信的。抗日的基础就应该建筑在这样坚固的东西上才对呵！

大风在平野上毫无忌惮地奔跑着，逼迫着我们的脸和眼睛，不方便地呼吸着，像用双手似地极力拖着系在头上的草帽，像要连带我们身体一并掠走似地。

我兴奋地在坚固的大地上奔跑，大声地呼号着。

下了几天大雨，我们很担心那些未割下的麦子，所以一等天晴就再去到那村子，但麦子已经割完了，我问他们：

——麦子怎样了？该没有好大的损失吧！

——一点也没有，以前我们认识的那老农人告诉我——我们看天色，便知道要下大雨了，风又厉害，又冷，我们便赶快动手，忙了一个晚上，天亮时才下雨，可是我们已经把麦子割完了。

他们正在晾麦子，我们于是又去参加了那工作。

正午，在他们吃饭时，我们替他们唱了一些歌子，讲了许多抗日救国的大道理。一些小孩子要我们把唱的歌子写给他：

——我们也要唱呵！

又一个老农民，眼睛发红，睁不开，我们的卫生委员给了他一点眼药，并叫他派人到西安城里我们住的地方来拿另外一种医治眼睛的药。

——以后下乡多带药，药能解老百姓当前的痛苦。卫生委员告诉我们她得了这样一个结论。

我们便欢乐的回城去了。

谈谈我们的街头壁报

史　轮

一

西北战地服务团在到太原以后，加入了一批新团员，工作的范围就比较扩大了。按照大会的决议，整顿了壁报，但这是给本团团员看的。每天一期，内容由吃饭、睡觉的小问题到《九国公约》一类的大事件无所不包。外形是各式各样的一块块纸凑合起的一大张。弄好了，贴在院子里的墙上，——以后就挪到救亡室里去。

及至到了安泽境内，街头壁报就更讲究了，原因是那些朴实、善良的民众常常瞪着眼睛向我们问起前线消息，若一一解答起来，既嫌有重复之虞，而又不免妨害其他的工作。此外没有机会去问我们的一定颇不乏人。

于是我们办了两种壁报：（一）是用大张的纸写的，为了顾及文化程度差池的人容易阅读，字迹稍大，并且每期画上一点儿漫画，报头也作个简单的图案。内容方面，除了照中央无线电广播或新闻纸上抄录重要的国内外消息外，更特别采录沿途遇见的我军的捷报。（二）是油印的小张，目的在能更普遍到各条小巷，僻街以及经过的沿途。内容，如拥护政府，军民合作，抗日军要守铁的纪律，民众快帮忙军队，参加军队作战……都是其中的题目。自然也还有些小调之类的东西。

二

过新年的时候，我们住在临汾的刘村镇，那期特大号的新年壁报之内容是最丰富了：除了上面说过的那些，加添了山西游击区的地图、歌谣、小调、大鼓词、快板（连花落）。那一期在外观上也比平常更加美丽。插画施上颜色，周围镶上红边，三十来篇文章贴满了一面大墙壁。每天的阅读者真不知几多，更有些人立在寒风里，呵着手儿抄写。

在洪洞的万安镇又出过一个“一二八”特大号。这次是用五色纸凑起来的，外表也颇好看，所以吸引了大群大群的读者。而且时常有热心的青年站在那里给不识字者大声诵，做着手势讲解，那种姿态，实是使人不能忘记的。

可惜我们天天忙着演戏、歌唱、写通讯稿子，不然真应该每期写上几十、几百张；每期办特大号。然而像山西一个地方往往贴着各地方救亡团体，各军及决死队的几种壁报的地方，城市和乡村，每期写三五张也就满可以了，群众对于他们的几步道路是并不想省掉的。

三

过了风陵渡，来到潼关。虽然只一河之隔，街头上的景象便大大不同——莫说壁报，就连极容易制作的标语也不多见。

“这么大的广告，又有风，怎么好贴呢？”——这是我那一早晨贴壁报时，潼关的老百姓说的话。

真是，在他们脑海里还没有“壁报”两个字的印痕呢。但在贴完一张走不上几步，人们便蜂群一样集拢上去了。

这次的内容方面，加添了两首街头诗，这个试验却获得了不少的成功。听那朗诵的声音，怕比那些朗诵会的声音更响亮些吧？

我们真不了解那些“宣传无用论”者们的心怀。他们闭着眼坐在屋里幻想中国人凭空变成天神，会战胜敌人；他们的近视眼看不到泉水的地下渊源和大船前的拉纤人的力量！

我们不管他们，在抗战的期间，不但要把抗战的烈火燃炽起来，更要以文艺的奶汁把那些被教育抛弃了的不幸者们的枯瘠的脑髓渐渐充实起来。

我们不——绝不相信我们的工作永远是一粒种子而不会开花结实。

西安杂谈

丁　玲

在万安镇，决定了答应西安各团体的邀请，到西安去的时候，开了一次大会，讨论到西安去的意义，和在西安如何开展工作。接着又专门讨论了一次巩固和扩大统一战线的问题。临走时，又做了一次测验。三月一号过了黄河，住在潼关的一家棉花厂里，又把所收集的西安情形向大家报告了之后，我便偕同高敏夫同志先到西安了。

陶渊明不为五斗米折腰，是有气节的。然而我似乎却为了两块钱一月的津贴，每天在衙门前递片子。这种生活我是不惯的，成天东奔西走，四方求见，在有卫兵站岗的门前，在传达室，在走廊上，伫候的心情是不好受的，但是我忍耐了，没有人看出我的勉强来。而且我接见宾客，我把话重复着向每个客人详细解说，我很和气，深藏着我的疲倦。两天之后，大队来了，住在省政府指定的地点，梁府街，女子中学的旧校址。西安的人士是欢迎我们的，我光荣的赴了西安的最贤明的人士代表们的欢宴，长安县县长和杨明轩先生等都给了我们许多奖励和指示。服务团的同志每天分组出席了各种的联欢会，座谈会，然而也有一些小的不惯常的事发生，那我们对这些事是如何处置的呢?

女子中学是属于陕西省教育厅的，这时里面正住着战时青年训练班的办理人——不过还没有开学——和通俗读物编刊社，以及教育厅的几个职员住宅。服务团大队到西安的时候，已经是黄昏，派了两个同志进城来找我，全体便在车站的月台上等着，冷风吹打着他们，一天没有吃东西，等到搬到宿处时，已经九点钟了。住的房子里的电灯泡取走了。没有用具，没有铺板，没有草，原来有的都清检在一间房子里锁着。而且没有水喝，后来在街上买了一点来，但要洗脸洗脚就没有办法了。在山西的时候，大半住在老百姓家里，有时也住学校，受惯了老百姓的殷勤的同志们，现在在一天的劳顿之后肮脏的，蜷坐在黑房子里的地下，不敢大声说一句话（因为怕妨害别人），而且还要解释，唯恐有人心里不舒服。但因为我们是有次序的，我们是不怕麻烦的，我们能够吃苦，不注重小的地方。第二天我们交涉到一部分铺板，第三天交涉到桌子板凳，后来都交涉到了。电灯没有，我们在西安期间就全用洋蜡，虽说邻室很辉煌，然而我们很满足，洋蜡比清油灯已经亮多了，五个人共一枝很够看书的。

第一次的公演，省党部帮了我们很多的忙，譬如剧本的审查，因为我们是临时赶写的，直到出演前两天才交去，我们那时还不懂得写呈文，可是省党部很快就通过了。戏剧审查委员会也来不及看剧本，就在预演时来看了一过。警备司令部公安局在出演时来问我们要团体登记证，也因为我们是旅行团体而不深究了。这里充分的看出了我们对西安环境的不熟悉，工作的疏忽。尤其看出的是和当局者对救亡的宣传工作之扶掖和爱护。这实在是值得赞仰的。

后来我回延安了一次，同志们在西安又作了第二次的公演，因为过于劳顿的原故，三分之二的同志都被招待到防疫医院里。这时却忽然接到了省党部的着即日离开西安赴山西前线工作的通令。这时《抗战与文化》(叶青等主编的)上也讥笑“某”战地服务团不在战地工作而逗留西安的不当。同时也有旁观者表示了愤慨，战地服务团来西安的时候，正是炮轰潼关，西安岌岌可危之时，人心惶乱，忙着迁移，而战地服务团在这里做着稳定人心，加强抗战信心，号召广大人民参战的工作的时候，却有人出来说坏话，挑拨团结，但我们对于这事是非常冷静的。我们是愿意离开西安的，我们愿意执行当局给我们的命令，于是我们准备着一切离开西安的工作。

然而新的问题又来了，有人说我们的标语写坏了，说是写了“争取国际友军”，即使我担保没有这样写，也不成，须得调查，于是就调查吧。我把所有街头标语漫画的内容地点都抄了去，把在北大街的一条“争取国际友军”的标语也抄了送去。可是在那天的夜晚标语被涂抹了，同志们清晨操早操去，看见泪似的白色水滴一条条挂在那些模糊的大字上，有的是煤炭涂的，但有人却说是我们自己涂的。也无人负责追究出倒底是谁涂的。

于是同志们又流着汗在太阳下继续去写，而“拥护蒋委员长”、“拥护抗战建国纲领”的标语也就继续的在夜晚被涂去。每天清晨，同志们都懊丧着脸，像儿子被人杀害了的，忍不住气愤。但我们又开会，说服了大家，停止了写。同时我们去抗战敌援会，要求分配工作。于是标语继续了，西安城每条街上都看得见李劫夫同志、吴坚同志的方体字，和朱焰同志的立体美术字了。不过下边的署名换了“抗敌后援会”和“雪耻兵役宣传周”，这一次没有被涂抹。一个星期共写了八十多条，后来向抗敌后援会领了十四元三角的材料费。有些人惊奇，原来材料并不贵。而且街上新的标语漫画出现了。有竞存小学的，有第二战区司令部战地工作团的。尤以大风剧社写得最漂亮。

抗战后援会是最可感谢的。我们在他们领导之下，做了不少工作，参加几次公演和播音。他们的宣传科长冯慕鹄先生来团里讲了话，我们很佩服他对于统一战线国共合作之正确认识。他也明了我们的同志们都是有礼貌的，诚实的青年。

我们虽说被欢迎，每月至少要公演二十次，但大半都是由别人主持和出名义，因为我们在西安是一个不合法的团体，甚至有一个剧团因为我们去帮助了排剧而被解散。但我们决不要名，仍是努力去做，这时西安同时有二十多处是由我们去教歌咏，有一部分是由我们去帮助组织的，流行于西安的歌曲小调，大都是我们推动了这一运动。

西安的各群众团体帮助了我们开展工作，西安的行政的负责者也给了我们许多精神上的鼓励和物质上的援助，如蒋鼎文主任、孙蔚如主席、胡宗南军长等，使我们在西安期间得以完成我们的任务。

不论士兵伤兵、工人、学生、妇女、儿童、难民的工作，我们总是抱着多多益善、来者不拒的态度，所以每到中午过后，团内几乎无人，不管大太阳底下，大雨底下，远到二十里路去教政治课，都从未停止过，但有时也拒绝过别人的。如同有一次某团体请我们派同志去讲话，同时他要求我们穿便衣去，他说怕当局知道，虽说他表示了对我们的最大的同情，但我们仍是婉言拒绝了的，因为我们不愿不带着符号出去工作。

在离开西安之前，我们准备了第三次的卖票公演。

关于这一次的公演，我们共写呈文八封。西安的报纸已经老早就不准登载我们的消息。这对于我们真是很为严重，但好的是我们与西安的妇女界、教育界、出版界、救亡团体、机关、西安的名流、商家都有了联系，通过了这些关系，使我们这三天七场的公演，得以场场满座。对上对下的工作，总还算没有什么大的疏忽。

这次公演，大部分都靠了我们的新朋友，易俗社的社长高培支先生的帮忙。我们的认识完全是从工作上开始的。有人告诉他我们是共产党，不要接近我们，怕我们将来要捣他们的蛋。同时有人告诉我他是老顽固，不可理喻的。然而我们都不听这些谰言，我们从工作上有了互相认识。他不特带着一群学生来赴我们的茶话会，而且经常以我们做模范来教他的学生。他在物质上帮助了我们，在工作上帮助了我们，西安很多人都奇怪为什么他们会同我们好了起来的。其实原因很简单，就是我们的立场，完全是抗日的，我们的态度，完全是诚恳、坦白、谦虚和爱。

离别以前，开了一次招待各界的大会，报告在西安的工作。共到团体代表七八十人。省党部的代表黄其起先生，省政府的代表楼叙九先生都大大的夸奖了我们一番，这给了我们很大的兴奋，“努力团结”成了一致的定评。接二连三又赴了好几个欢送茶会，二十二号的早晨匆促地便上了汽车，黄尘滚滚，直奔更北的地方，纵横着高山的山地上去了。更多的事在前边等着，所以也不留恋，虽说在西安城里却有很多留恋我们的人，不过以为遗憾的就是感到留在西安的工作太少，若是以后再来，就要弄得好些的。

我们的文化娱乐工作

高玉林

人往往在一件工作开始的时候，都比较热情和紧张，不肯休息，这是不好的，我们是须要有持久的经常性。为了保障这持久的精神，和工作上的迅速完成，就应有适当的调剂文化娱乐工作。

这里说我们的文化娱乐工作，又因为服务团是一个流动性质的团体，为了适合环境，它就必须灵活地使用各种方式，在一年中它曾经完成了行政上交与的任务，帮助行政上克服了一些临时发生的困难。一年工作计划能够顺利完成，它也是中间的一个因子。现在我想把它介绍在读者的面前，也可以作一个参考。

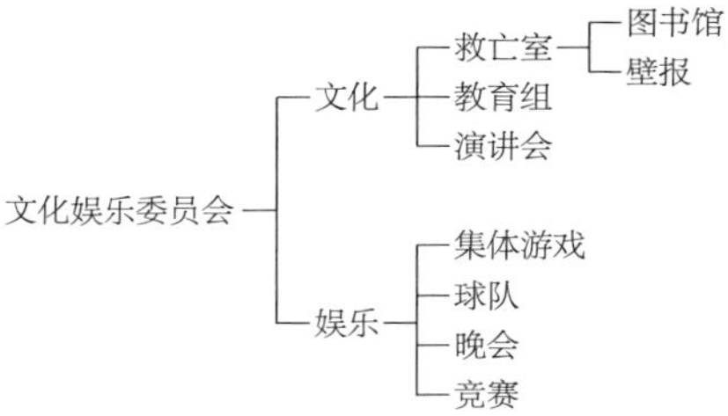

西北战地服务团开始成立的时候，除了工作部门以外，文化娱乐委员会就在上面组织的形式下，和行政直属系统底下，分类工作，各单位有负责人一，经常举行委员会，检查工作，计划工作和推动各部门工作。然而有的由于行政工作之繁重，娱乐工作不能不随时变动方式，除开规定的经常工作以外，在必要的时候，还增加其他的临时性质的文化测验和运动会，……使兴趣更提高一些，尽量表现出我们的活泼。为了反映其整个轮廓，这里分门的作一个说明。

在文化方面：

一、救亡室：在团内它只占有一个很小的面积，然而它的内容实足反映整个团体的作风和精神，在乡村或城市，我们的宿营地，人们总这样的称美着，“对外的工作是那样认真，内部也还是井井有条，生活一定是多么的紧张呵！”救亡室的布置是简单的，但是每一种陈列品都新鲜、活泼、富有教育意义的，正中挂着革命领袖像，四围墙上都张贴着各战区和全世界的明细地图，角落里还用蓝布条写着美术体的标语，如“学习学习再学习，国共二党亲密合作，革命的理论不是软条，而是行动的指针，肃清托匪汉奸，……”桌子上放着书和报纸，同志们都很紧张的在这里写着、看着、讨论着。在救亡室里除了上面的摆式之外，还有二个较为活泼、热闹的部门，包括在里面，第一部分，就是图书馆，这里设置着一些文学、艺术、政治理论书籍，都是较为重要的，它负起了文化食量供给部的作用。第二个部分就是壁报，内容包括论文、生活、文艺……每星期出版一次，目的在提高全体同志写作技能，反映团内生活，经常提出问题展开讨论。形式、内容越活泼，人们对它也越发生兴趣，把它当作自己的园地，常常会因为一些问题引起争辩，显得非常热闹。

二、教育组：这一门的工作主要是在教育事务人员和勤务员，指定同志专门担任，课目分政治、文化二个部门。虽然我们的对象，都是参加长征的战士，但是在文化、水准方面，一般的说，比较差，开始上课时，进行的程度也慢一些。然而在工作中，他们自觉到，识字和政治教育都对他们有很大的帮助，于是一种自发的要求学习空气就非常浓厚起来，进行也相当顺利，并且在我们和他们中间，经过工作的媒介，接近的多，也在感情上融合起来了。在我们中间，再没有阶层的分别，本来都是兄弟呵!

三、演讲会：这里也有二种不同的方式。第一自己的演讲会，目的在让每一个同志都锻炼成一个演说家。因为服务团无论在村庄、城市宣传的时候，往往为了观众的要求，在演戏完了就接续要五六个同志上去作一个各方面的演说。在那样场合里，假使平常没有说话习惯和技巧就会把机会放过去，所以为了提高演讲的技术，我们经常举行这样的会。在会上注意的是第一，内容；第二，姿态；第三，声调；第四，时间。除了聘请评判员以外，全体同志都是听众，可以提出意见。第二种就是请外面的人，给我们作报告，多半都是专门政治家或军事家或文学家，这对于我们的工作有许多帮助。

在娱乐方面，分下边数种：

一、集体游戏：每星期举行一二次，地点：野外或草场。它带着一种强迫的性质，因为有一些人是不愿意动的，身体的好坏在他好像也不是在乎。为了使每个人都有一副健康的体格，集体游戏是能减少不爱娱乐的倾向，使得大家把一天疲劳都忘记在这里面，高兴地回到宿舍去。

二、球队：我们现在有的如篮球、乒乓球、排球、棒球、小足球……各队都自愿报名参加，组织球队经常练习，到一有机会，就与别人作友谊赛，增加彼此的感情。

三、晚会：每星期六举行一次，在行军中也举行临时游艺晚会，唱京戏啦，说快板啦，名人演讲啦，出洋相啦，把新编的东西，试验出演，每次都不同；在欢迎会上，和欢送会上，更是热闹，自己当观众，自己做演员。在这个时候，人们都吃着，谈着，非常的热闹，过去吵嘴的，在今天也被冲散了，余下的这是亲爱，像自家一样。

四、给奖：举行一些革命的竞赛，如生活竞赛、卫生竞赛、工作突击竞赛等，或奖赏物品，或给名誉奖。在壁报宣布，在队伍里宣布，提高大家的兴致。

在行军时，就得预定计划，到某一个地点，唱一个歌，说一个有趣的故事，讨论一些简单的问题。打前站的便在沿路写上一些有趣的口号，使队伍的疲劳减少。

这项工作似乎容易，其实也很麻烦，做得不好常常会引起不满，使得大家不舒服，讨厌，但如果能经常注意整个工作情绪和需要，加上不断的创造性，就比较容易做了。

学习在西北战地服务团

巍　峙

“我们要求学习啊！我们要充实理论基础啊！”

“我们要加强技术进步啊！”

“我们要训练创作能力啊！”

“研究组快成立啊！”

“同志们不要放过这次的学习机会啊！”

我们这些被成天行军，成天演戏，唱歌，画漫画，写标语，唱大鼓，说相声，打快板演双簧还有什么跳秧歌舞等，忙得平常连看书的时间都很少的人们，到延安听说有一些日子的停留，决定充实内部学习，并准备将来工作的消息后，每一个人都感到十二万分的兴奋，要求比较有系统的来充实理论的修养，从基础上有计划的加强技术培养的呼声，便从每个人的口中发出了。

研究组在我们搬到山上以后，就正式成立了，共分社会科学和艺术两大部分。为了讨论时方便，社会科学内又分哲学、政治经济学和马列主义共三组，艺术内又分戏剧、音乐、美术、文艺共四组，可自由选组参加。在开始报名的时候，团内的工作委员会怕各团员参加组数太多，反而影响学习的深入，所以规定了社会科学及艺术这两部分，每人至少要参加一组，但每人，至多只能参加三组。可是报名的非常踊跃。你说：“哲学、政治经济学和马列主义，我们都要学啊！”他又说：“戏剧、音乐、美术和文艺我也都爱好啊！”又有人说：“干艺术的也要懂得政治理论啊！”有些人又说：“我们是种用艺术来宣传的团体啊！只学政治，不懂艺术不能工作也不行啊！”结果大部分都参加了三组，有些人还要在别的组讨论时参加旁听，使自己懂得更多些。

除了团内的研究组外，还到抗大、陕公、鲁迅艺术学院选听有关的课程，并决定请人到团内讲授，想使自己懂得更多些，进步得更快些。

研究组成立后，团内的图书馆，就非常热闹起来了。有关的书籍全被借光，专门性质的哲学图书馆正式开放，音乐图书馆也在筹备中。但是原有书籍还是不敷分配，常常几个人同看一本书，抢来抢去，十分紧张，看书的空气弥漫在整个服务团内，每天早晨早操后，就可看见山上山下，东一个西一个，东一堆西一堆的在看书。吃早饭后，分别去听，哲学、马列主义、政治经济学等等；没有课的人，就在家看书，写笔记或写文艺作品。在救亡室内个别发音练习的声音，常冲破这种静寂的空气，荡漾在山水之间。

上午饭后休息半小时，开始讨论，七个研究组每天轮流讨论，到晚饭前才结束。

晚饭后原是游戏时间，但还有一些人，夹着书本到山顶或其他地方在看；有时又有的人，又集中在一块举行诗歌的朗诵。

晚上点名后，又是自修时间，看书的也有，写稿的也有，生活单位内做自由讨论的也有。这样又是两小时才下自修。

各组讨论已照规定进行了，讨论的地点就在窑洞前的山坡上。在讨论的时候，大都热烈发言，平常不大讲话的一些男同志女同志也很踊跃的站起来发表意见。有时在吃饭前原定的题目没有讨论完毕，大家都要求晚间再谈，或到第二天再谈。

这些情形都充分表现出大家对求知的热烈。其中还有不少的缺点，主要的也就是由于求知太切，有些人选组太多，以致精力分散，每组的准备都不够充分。有的发言空洞不够具体，有的言语噜苏，没有说出中心意义，又有些人因看的书太多，时间又没有计划的分配，结果放下哲学书，拿起《列宁选集》胡翻乱看，很少收获。讨论时不但不能发言，别人所说的是否完全了解，也是问题，有些人在会上没有发言，也不知道他事前是否努力看过参考书。为了补救这些现象，又决定了，除特殊情形外，每人以参加社会科学及艺术各一组为原则，使能专心研究了解深刻些。在看书方法及写笔记方面，每星期必由各组负责人向各组员，至少检查一次，同时在各组内又以生活单位为单位组织小组，互相督促。此外想举行定期政治测验，把理论和实际配合起来发挥，同时每天决定有一人负责时事报告，使各人所研究的理论能用到对于实际问题的分析上去。在每星期的终了，各组负责人举行检讨会，交换各组学习经验，做下星期准备工作的参考。

为了准备将来的工作，为了各团员本身，学习是提到第一位了，所以在目前对于工作是比较减少些了。

行军中的事务工作

黎　卫

现在的生活是比较安定了，每天除了学习、讨论会，就是出席出席晚会，在工作上真清闲多了。可是这样日子过得长啦又觉得无味，还是行行军好，但是在行军中有时又会感到需要休息一下，人心总是这么矛盾的。

回忆起在行军中最苦的要算事务工作了。尤其是我们过去没有弄过这事的一群，更感到特别束手与麻烦，后来时间渐渐长了，还好一点，但终是相当麻烦的一件工作。买东西，发东西，那倒没有什么，主要的是行军中每站预备水，午餐，到宿营地找房子，预备吃饭的一些应用的东西，最讨厌的是动员车子或驴子。

看起来，倒像很容易做的似的，但是实地做起来，就感到麻烦了。例如到某地方找房子，在战区的房子倒是多得很，因为有些老百姓已经逃走了，有些学校已经不上课了，所以空出来的房子很多。可是空的太少了，多半都是各部分的军队在驻扎着，很少有空的，这就麻烦了。到某地后先要和地方当局请求帮同办理，有的地方当局很好，他设法来替你安置，有的就不然，他只允许你住在此地，但房子要你自己去找。一个没有到过的地方，地理一点不熟悉，叫你自己来找空房，那真是一件困难的事。你首先要想办法和老乡接近，和他做政治工作，请他来帮助你找，找到空房之后还要和房主来商量。有的房主很开通，他讲，“你们都是为国出力的人，这年头没关系，你们住吧！”可是有的就不然，他又怕你这个，又怕你那个，总是托词不愿你住在哪里，虽然他知道你是八路军，但还是有些不放心，最好你还是不在他那里住。这就麻烦了，这时你又要向他做政治工作，并加以种种保证。可是有的这样还不成，他就硬不准你住在那里，房子是他的，他有权利，他知道你是八路军，不会把他怎样。假如在这时候，你再用和平的方法，来同他讲了，那就不好办，你说什么他不听，干脆就是不准你住。你说日本鬼子要来了，你的房子什么都没有了，他不相信，他说日本鬼子不会把他逐出来的，真是气的你要命。可是你又真的不能把他怎样，这时唯一解决的办法就是继续好好地谈，并带点硬性说话。结果，招待的很殷勤，颇尽地主之意。此时虽然目的达到了，还需要和他解释，使他了解我们的苦衷，和军民合作的真正意义，这样不但不能使他对你起反感，而且教育了他，使他知道了他们在抗战中应尽的义务。

房子找到了，该准备吃饭，因为团里经费的关系，以及为了行军便利，所以有些东西必须到当地来找，如米、柴、菜、锅、灶等。米、柴、菜等东西，看起来也很容易，哪个地方没有呢，可是有时就真的没有。一方面是因为一部分老百姓逃了，将米什么都埋起；一方面是各部分军队由这里走，都需要这些东西，所以弄的老百姓有时自己吃烧都成问题。所以当你买的时候也要费许多周折，你要同他讲许多话才能把东西买到。

饭吃过了，要是不演戏或街头讲演那就该休息了。这时候可以说最美啦，往床上一躺，周身没有一个地方不感到舒适，那种美的滋味，我想非身临其境不会领略得到的。

但是晚上事情又来了，就是准备明天的车子或驴子。团里本来是有几个驴子的，可是仅能担一部分公家的东西，还有一部分，需要雇车来拉，或驴子背。所幸私人的东西是自己背，不然更麻烦了。车子是一站送一站，不敢送远。因战况紧张，老百姓都不敢离家远，动员车子的时候，首先要找当地负责人，请他来动员，多半是派差的性质，车价官定，这倒方便得多。可是有时车子没有，那就糟糕，而且是没有的时候多，甚至有时连驴子都没有，不过这个时候比较少。找车子的时候，虽然是地方负责人给你找，但你要在那里候着，一定要车子的车夫弄来你和他把头接好了，定明了次日起身的钟点，这才可以放心点，不然明天有时就出岔，当情况紧急的时候，真叫你束手没有办法，最好把他弄到你住的地方去，这才把稳一些，次日行军方不至于误，不然真靠不住的。在村公所或县政府等车或驴子，十一二点甚至两点钟那是常有的事，回到团里人家都睡了，次日还要四点起床照常行军，甚至还要早起一些去催车子，不然怕他来迟误了行军，这时候真是最苦的时候了，睡眠经常不足，除了照常行军之外还要多跑路。

所以在我觉得事务工作在一个团体里要算够麻烦的事了。现在这样舒服的生活有时早晨起床还感到难过，不愿起来，回想起过去的生活真有些不应当。

一九三八，十月，延安

一个炊事员的自述

吴任口授　　徐对笔录

一九三七年八月十六日我调到战地服务团工作了。

当我来的时候，同工作人员都不熟悉，也就不去各股玩。管理员来得早些。他和工作人员有些认识，由他的口中我知道了工作人员的情形——哪几个好些，哪些个脾气坏些，哪几个……所以管理员便成了我们的中间人。我们对他们有什么意见，便由他去和他们讲；他们对我们说的话，或要我们做的事，也都由管理员来告诉我们。渐渐的，我们便养成了这个习惯——除去管理员的话我们都不听，而且在我们和工作人员之间是有着隔阂，大家都不了解，生活又不能打成一片，所以便常常发生冲突。

尤其在行军的时候，沿途他们是常吵着要喝开水，要吃东西。每到了宿营地的时候，他们便催着要吃饭。那时我们真困难，一切用具都是临时向老百姓借，粮食菜类也都要现买，而且我们又不熟悉当地情形。他们又不明了我们的难处，不但吵着要吃饭，而且这个跑来说肚子饿要吃干饭，那个说吃稀饭舒服些，这个说菜要咸些，那个说菜要淡些，乱七糟八，简直弄得我们没主意。于是管理员说："煮干饭吃"，可是值日班者又跑来说："谁叫你们煮干饭的？为什么不接受大家的意见？"所以在我们和工作人员之间是常常为着这些事吵起来，因此我们和他们的关系是愈弄愈坏。

这种现象弄常了是要不得的，不但我们的感情不好，而且还妨碍工作呢。所以为了解决这个问题，在刘村（山西）的时候，全团展开了一个大的检讨会，我们事务人员也全都出席的。在这个检讨会上，他们批评我们脾气燥，说话态度不好；我们也批评他们不能吃苦，有阶级观念，看不起我们（过去他们叫我们伙夫）。从此以后，我们大家都互相了解了，解释了过去的误会，我们脾气也就改了些，说话态度也和气了些；他们也看得起我们了，不叫我们伙夫，改称炊事员了。他们也不再像过去那样跑到厨房来乱吵了，一切事情都是由总务股决定来通知我们。而且我们更知道了，我们都是一家人，都是在做着打日本鬼子的工作。我们不应该自家闹气，大家都要亲爱些，互相帮助，合力抗日。

因为他们常常来上课，秘书处的同志又常来介绍他们的过去。他们都是有斗争历史的，并不比一般公子小姐；他们是牺牲了一切来做抗日工作的，政治干事也常常来和我们谈些问题。所以现在我们是更亲切了，更爱护他们了。

当我们看到他们工作忙的时候——唱歌、排戏、写文章、念书，晚上演戏还得弄到半夜，我们是很想帮他们忙；可是，我们什么都不会，既不能写东西，又不会演戏，所以我们常常在谈："现在他们真忙，比我们忙得多，但我们也无法帮助他们，只有遇到出力的时候，那才是我们帮他们忙的好机会呢！"

我来到服务团，已经一年多了，在这一年多中间，虽然我所做的工作很少，仅仅是烧饭，但是我却学得了许多东西，我认识字了，我会做算术，我知道了为什么要打日本鬼子，我更知道了我应该怎样去打鬼子。我爱服务团，我不愿离开它，我要跟随着它工作，直到赶走了日本鬼子。

生活检讨会

史　轮

——谁也不是强迫来的，谁也不是三岁的小孩子。偏偏动不动就批评：明明是勤务员的疏忽，明明不过只是一个刚刚进来、还不很懂这里规矩的团员偶而说了他一句“你不愿侍候我们，就别侍候”！于是就落得批评。明明稿子写到半夜，次晨耽误了早操很可以原谅的，却反而也受到批评。明明忙的连饭也不顾得吃，内务马虎了，也不要紧，结果还是批评。……

——天还黑得很，吃上两碗面疙瘩汤，就得赶路，还得当联络兵，赶牲口。牲口要驮公家的道具、戏装、给养，自己的衣服都得像骆驼一般的自己背着。爬山、过河、走冰雪，一天得走他妈百把里路。连人都累病了，黄昏宿了营还没吃饭，又去登台上演。……不批评也就够受的了！动不动就“影响、影响”的，谁还莫非常常带着说话的字典不成？唉！这样下去，真受不了。……

——我何苦冒着战火的危险，在火车顶上受着雨淋，吃着煤屑到这该诅咒的山西来呢？

隆同志躺在那几乎把人重叠起来的，烟熏得乌黑的土炕上，正在思想着这些心事，睡不着。这是他的一种老早就养成的癖性，他受不得半点刺激。今晚因为和文同志又吵了嘴，觉得兴奋得很！翻来覆去。而那匹从陕北跟随来的驴子却讨厌的，有意似的叫着。假若是在家乡，那一定是他的孩子老婆捱他毒打的时候了。

刚才开过了生活检讨会。大家批评了他的过错——太感情，随便说话……。虽然在开会之前，主任曾向他解释了一番，但他仍然感觉到一颗颗的雹子全是冲着他的头上猛砸一般。而且那些什么“尾巴主义”、“自由主义倾向”，他更觉着像机关枪一样向他一排排射击。因而在会场的暗角里，他痛苦地流了从爸爸死后的第一次的泪，因而在完成了会回房来的路上，大声地嚷了起来：

“这样的会有什么价值？再开这样的会，我绝对不参加了！……”

“我看非常有价值。你不参加？这里是一个团体；你不要把自己看得太重了！”——和他一块来到这西北战地服务团，又是他多年老朋友的文同志看到他太不成事体了，想要用这话阻止住他。

谁知道很率直的文的话，反得到相反的结果——一回到屋里，隆更大闹起来。于是说出这样的话：

“我是为了自由来的，我有我个人的自由！这里不合适，我可以到别处去，即便回到家里去，也不至于就会被日本强盗杀死的！……”

文的火气也更大起来：

“你干脆去做汉奸好了！……”

这时，若不是股长赶到，说了一声：“你们不睡，别人还睡觉哩！”看那趋势，一定会打了起来。

第二天。马马糊糊地敷衍完了早操，连假也没有请，隆一个人低着头走到房主人的一个角上结着蛛网的草房里去。早操本来不许穿大衣的，罅缝里来的尖风便乘机刺他的皮肉；可是他觉不着。因为他这时已躺在那些谷草上滤涤着昨夜的事件了：

——唉！一个和尚受了戒，偏偏有些魔祟来招惹他。越想当一个好团员，越是走上相反的路！

起初他恨着那些批评他的人，恨着徒为老友却不了解他的文。可是反省的结果，就深深恨起自己来。自己原来的目的是什么呢？在家乡没有救国的自由——那汉奸韩复榘的治下，竟逮捕抗敌后援会的青年，而真正的汉奸却公然活动。如今三个多月了，家乡一字不知，自己的母亲、妻子可不知能否摆脱掉那个汉奸的纠缠？家乡也不知给日本强盗践踏成什么样子了？自己不能克服弱点，不能好好改造，——这可究竟能对得起谁？枉费了同志们的苦心，枉费了主任的精神！大吵大闹了还不算，竟对生活上的艰苦抱怨了起来，该死！该死！像人家“阿Q”，十冬腊月天竟脱了赤脚登台，小陈把嗓子都喊哑了，老苏简直下了修道士的苦工，克服自己的脾气，天虚整天爬在炕上写通讯。就说女同志吧，哪个在家中不是小姐？如今走起山路来，却都是呱呱叫，绝不像自己掉队又掉队。那些事务人员，也并不少走一步路，可是出发前得起五更做饭，喂牲口，一住下又得东跑西颠去问房子，跑老远的去领给养。可是人家谁曾发过脾气？谁曾抱怨过团体？演剧的能使人下泪，使人狂笑；唱大鼓的每次博得如雷的掌声；张发组在路上牺牲了休息时间去写标语，画漫画；歌咏组得早晚在北风的旷野里练喉咙；总务股的得教育事务人员，得经理全团的伙食，得管理琐屑的账目，而且管得井井有条。玉清、健亭，开起会来，理论讲得一清二白，显然都是良好的干部了。——可是人家都没有发过脾气，都过得十分快活。人家不但自己不犯过错，还帮助别人改造，帮助别人解决一些问题。

自己可会点什么？来了没有多久，竟闹出许多笑话来。自己究竟仗凭什么呢？自己动不动爱说人家不了解人，人家对事情机械，可是人家并不能钻到你心中去看，为什么自己老说些不负责任的话？一个团体没有纪律还能进行工作吗？自己老原谅着自己地对人说，弱点难以克服，但为什么不效法主任呢？主任过去的生活一定比自己优裕得多，可是如今却谨慎地、耐心地处理全团的问题。工作起来和大家一样刻苦，一样勤劳，更得克服着过去喜爱静默的脾气去拜访军政界的人物，去找那些百姓谈话，交涉一切事情。其实谁不会发脾气？谁不会按自己的快意来说话，做事？

文的方式纵不得当，可是他的确是一片好心，自己怎该以对仇人的态度对同志呢？

悲哀，失望，他觉得这次的过失再难挽回，大会上一定会给他一个更严刻的批评。他又陷到恐怖的涧谷中去。他不愿意遭受那一圈冒火的目光的包围，他也不愿再去听着主任的谈话，因为那更会使他的内心痛苦。他觉着整个世界上全如这草屋一般的黑暗，没有路对他是更好的。

唉！走遍了所有的路，最后这一条也不过如此呀！他想找到一个真正能赎罪的地方，或者大家把他的罪恶忽而忘掉也可以；但是这又是一种幻想。

出了草屋的门，正逢着笑嘻嘻的文在找他吃饭，他才低着头，好像向文表示悔过一般回来。

隆同志是从太原加入本团的。想起那时，真正好笑：他和文一瘦一胖，又都会写诗，我们都叫他们劳莱、哈台。他来到以后，正是本团人数骤增的时候，团内顿然热闹起来。因此虽然在太原、榆次两地，敌人飞机天天在头上轰响，黑烟随着炸裂声时时出现在附近，大家的精神仍然很愉快。主要的是添了这批生力军，我们的工作更可大大开展了。真是，这一批由牺盟会、总动员委会……介绍来的男女同志，都有一些特长。像隆也正是满好的一个，他爱讲笑话，会唱小调，会演戏，会说山东大鼓，有时还扮个鬼脸给大家疏散一下忙碌中的疲劳。而且对工作也还努力——比如来到的第一天就和小林、老苏一道编起鼓词而且唱起来，所以那时给大家的印象很好。

但渐渐地他心中那弹簧松懈起来。因为他的笑话讲得过当时，同志们往往不客气地批评他，而他正有着一副尊严的面皮，往往不承认，反和别人辩论起来，这样当然要在大会上批评他的。这一来，却更糟了。

批评，在他看来是一种无情的打击，是一种恶意的摧残！他常这样的发表他的言论：

“一个人都有自知之明，一个人知道自己的错误比任何人知道得都清楚。自己有了过失，当然会自省，会惭愧，而且也会改正；何必别人硬卡着脖子来批评呢？在大会上批评，那更是为了出风头的一种不当行为！”

尤其是在有一次大会没有通过他的提议，他红着脸便退出去了，后来大会上又批评了这种行为，他更对批评生了反感。内务索性不整理了，早操索性不上了；他更拿出这样一种手段来报复，比如他在刚来的时候，分明觉得这里最舒服，最适合他的工作，他深怕把他调出去，如今却故意说：“调就调，哪里不是一样吃饭、工作？”有人想和他解释解释的时候，他就故意躲避开，不然就狠狠地顶人家几句：

“批评？配！我干过军队，也懂得革命道理。在十几岁上就参加过五卅运动，用自己的聪明闯出了两次牢狱，你们懂得什么？不用批评，到遇着敌人炮火时，瞧！……”

因此，渐渐地大家对他也疏远起来；谁能那么不怕遭他的冷语呢？自此他的苦闷也如河中的冰层，一天天加厚起来。

实在的，如今的饭，他感觉到一天天地难吃了，山西的天野也的确比故乡更冷酷。时时他深恨着那些批评他的人，他以为他的近来想回家去的思想全是那些人逼迫的，促使的；如果回到家去，堕落下来，那无疑的是他们那些人的罪过！不然，为什么对于这样一团热火的工作同志只给浇冷水呢？

有时他更以儿时向母亲赌气的态度向大家宣布：自己要去说书，或者到街头去卖醪糟，同时又写了许多感世伤怀的旧诗，贴在墙上，想给那些他认为不了解他的人看。然而似乎同志们并没有表示十分注意。所以他越感觉到苦闷、孤独。

但这能埋怨谁呢？他不但自己怕人批评，就是在大会上听着批评别人，他也感觉难为情。每次生活检讨会完了，他总像暗夜间的大炮，把话乱放一阵。

对他谁也没办法。结果，有一天主任叫了他去。

是刚刚到达宿营地、还未放下背包的时候，他听到勤务员招呼他，也没空换换衣服，就又打小雨里走向主任室去。这时，他很担心，他想着到那里也许和往常军中一样——至轻要受一场责斥。

把背包放在主任的房角上，主任很客气地让他坐下。恰逢着小鬼拿来了油面粉，主任就分给他一半，让他吃。他却还保存着过去在军中和机关内养成的习惯，怕见上司；而且自己心中又有点鬼，所以踌躇起来，不好意思接取。但局促的心里又想不出推却的话，只好摇头。

主任却很自然地说：“不用客气，吃着好消遣。”

他勉强冲了水，无心地吃着，紧等起下文。

主任果然开了正本：

“在服务团，感觉怎样？”

“很好！”——他低低地回答。

“对昨天的批判会有什么意见？”

他知道自己的不负责任的话，早已到了主任耳内，谅也掩饰不过，只好把原话打了个极大的折扣，这样说：

“当然很对，只是似乎稍微严重一点儿。”

“批评的用意是在教育，不只教育被批评者一人，还要以这个例子教育所有的人。有时方法上欠当，也免不了；不过那是另外的问题。你要晓得他们都很年轻，都是刚刚出校的学生，社会经验并不丰富，而且都和你一样热情。……所以你看到他们不对的地方，应当拿出老大哥的态度态度指导他们才是！一个团体之中，总要互相批评，又得互相谅解，工作才能做得好。不然，互相不满，一有不高兴，就乱讲一气是不好的。在批评的人，正是表示他对团体，对同志的负责。如果都不好意思批评，随便下去，那么团体岂不要坍台吗？”说到这里，主任怕他吃不消，马上又换了口气：“你对工作的努力，你的才能，大家都知道，假若再把生活严肃一下，那简直就是本团的模范同志了。”

他这时又惭愧，又感激；但一句话也说不出，并且垂着头连对方看也不敢看一眼。

及至主任叫他出来的时候，他才松了一口气。很奇怪，这次他再不像以前受了那些上司斥责时的心情，也不像最近的过去受了批评时的想头，这回真是到了心服口服的程度。

回来之后，他到旷野去。因为这时，天已晴了，通红的夕阳照着那十分清爽的山林。他在山坡上回想起他的过去，回想起初来时的心境，最后他下了最大的决心——准备接受一切的批评，清算自己。不然，怎好使主任再说话呢？“坍台”，这责任是多么重大呀！不用说不能再使那把文章都牺牲了的主任再来麻烦，单说自己那样下去，如何结局？——莫非真的走向自杀不可！假使团体也和自己一样，当真来个报复，把自己调了出去，自己甘心乐意吗？

非新生不可了！过去的错误的路叫它打住吧！固然内务、早操是些小问题，但这是一个团体的纪律，也正是对一个人的毅力的观测。两条清淅的路摆在你的面前，快踏上新的路吧！

这次谈话的第二天，隆同志果然没有掉队，雄赳赳地站在队头，英勇的将军似的一直走到月儿出来。这天也没听到他的一句牢骚。

但时间是人的试金石。时间一久，他又爆发了老脾气——这就是昨夜发生的和文同志大吵的那桩事。隆想到这不幸实是未开批评会的原因，是为了准备新年的工作，生活检讨会一直拖延到年底才开的原因。听到开大会的消息来了，隆虽然仍然觉着还有点麻烦，不过这次他已不像以前那样以仇视的态度对待这大会了，他决计要做主任说的那“老大哥”了。

这次的大会，讨论的问题特别多，单是工作方面就检讨了一整天。生活方面只得捱到下一日。

隆所在的通讯股在晚上先开始了生活检讨，股长说这样很省大会的事。六个人围着炕桌上的小蜡烛，一个一个地就开始了批评。因为批评的方式是每一个人要受全体同志的检讨，股长首先让人们批评他自己。隆看到每个人都诚恳地接受下来，自己也只得和别人一样，先把自己的缺点讲了出来，然后由大家再批评。他满想着自己已经讲得很详细了，不料别人讲了之后，他才晓得这自知之明还不十分可靠，自己见不到的还有很多很多。等他把自己的过失记在小本上，一查却有十二条之多。对他这肯于一朝揭去保持了数月的面皮的举动，当场得到了很大的称赞。今天他也很坦白地批评了每一个人，并且他也对那通讯股随着新年的到来而要立志新生——在全团要做模范的议案，表示了热诚的拥护。

第二天大会上批评到他的时候，他把胸中的火气竭力压下去，表示了愿意接受批评，并且一定改过自新。因为他的勇气认过，他看到了那一圈严酷的眼睛透出了温暖的光彩。主席说：

“隆同志今天的表现不但是他一人的进步，而且简直是全团的一个大进步。”

散会时，他感到了精神的疏爽。

又一次全体大会进行时，不但生活检讨里没听到隆的名字，而工作检讨之后，决议按照赏罚条例要奖赏的名字之内却也有了隆。本来他写了很多的通讯稿，而且写了不少的剧本和鼓词之类的东西。

直到今天，他是在愉快中工作着。对他过去的过失在同志们的心目中不但早遗忘了，甚至对于他比对那些根本没发生过错误的更好。你看，出现在他眼前的脸孔，不都是和蔼可亲的吗？还有谁再来嘲笑他呢？

隆同志正是真正享受到了生活检讨会的益处的一个。所以一到忙得大家忘记了生活检讨会时，他总悄悄地向股长同志提醒着说：

“该开生活检讨会了！”

此稿去冬写成，因邮寄遗失，于一九三八，
九一八前追写于延安。

生活检讨会的场面
——凡是一个人物要批评别人他必须检讨自己……

田　间

我又仿佛看到珂勒惠支的画集呵，因为那上面有一幅《商议》，是描写了好多个坚强的人类，把自己的脸扭向真理，而且用眼瞳永远地射向真理的一个伟大而热烈的场面！

——假使珂勒惠支在中国，在我们这里，也许她的画集上会多印一面亚细亚东部青年群众的“生活检讨会”的写生……

这晚上：我以一个同志的资格，一个工作的伙伴的地位，站到他们中间。一幅宽阔而又长的白布，铺盖在桌面上，白色的蜡烛吐出熊熊的火头，和人的呼吸掺和在一起。我常常担心几十个的呼吸会熄灭了它的，那似乎是在中世纪罗马一个贵族家庭的宴会上点燃的白烛，几次要被醉汉们口中冒出的酒味吹暗了的，但是它没有熄灭，它正象征着勇敢的意志，代表着光明的心，给我们闪照着，我们的气息是在它的周围流着，我们的言语在它的周围响着，我们的生命在它的周围跳着……

开始是沉默的几十个同志，摆着各色各样的自己的姿势，或者以一只手搭在邻近的肩膀上，那一只手摸索自己敞开的胸膛，或者以两只手撕开着完全架在左右的同志的身上，或者以一只手撑着自己伸在桌子上面的下巴，拣着没有长成的一根两根的幼胡髭，或者以一只手搁在笔录簿上，一只手握着水笔准备记事，凭着大桌子坐着，一声也不响，这沉默，使我们听到边旁的一两个吸着烟卷的格外起劲的声音，他们用力地吸着，好像那衔在嘴里的烟卷，就是世界上唯一的而且是最后的一支了。在这沉默中，有些同志，运转着眼珠，从自己的脸上伸到主席，伸到每一个其他同志，伸到中间的火星，又沿着桌边缩回。在这沉默中，有些同志“像把自己过去的行为抓在手上，在翻着看它”。……

渐渐地渐渐地，全场的颜色，空气，显得非常沉重，像暴风雨来临的前一秒世界就要被冲荡的面貌。……

这几十个，是活的灵魂，他们在等待着！

这几十个，是活的灵魂，他们在等待着！——然而在等待着什么呢？而且，用微笑，用明朗的脸颜，用哼在嘴巴里细音的欢喜的、用弹击在大桌上合度的手指的节奏，……在等待呀！

终于，我看到左角有一个同志，和蔼地站起来了，先扫望了全场的几十个而后落在左角的一个人的身上。……那一个，倒笑着，把身体靠前面一耸。……

——人是害怕批评的。但在大风沙里锻炼过的，一定能觉醒着！

一九三八年六月

又“死”了一回

李劫夫

我们已决定了明天到临汾去，今天要举行一个临别公演。因为近来此地已发生过数处的因吸大丰包纸烟中毒的事情，所以我们决定了在今天公演的节目里加上一个《吸烟中毒》的街头剧，同时还配合了一些小节目。演唱了一会以后，大鼓即开始了。群众一方面高兴听着《大战平型关》的大鼓，我则吸着纸烟弹三弦，一方面还在热烈的等着看下面的戏。但正当他们听得入神的时候，我放下了弦子“死”过去了，这时全场大骇。我们的同志就说：“大概是吸纸烟中毒了吧！”群众有的就说：“一定是。”于是就有一个老百姓跑回家去端了一盆凉水就要往我的脸上浇。当时我真害怕，万一他要真的把凉水浇到我的脸上，在这严冬的时候，不是要受了罪吗？幸亏我们的同志拦住了。于是这个一个主意，那个一个方法的在群众中喧哗着。我们的同志即装着往八路军总部去找医生，另外老百姓拿来门板，我们的同志就抬起来往家走，否则这幕剧简直要没有法子闭幕。但是群众，老百姓决死队的战士都要来争着抢着的来帮忙抬，我们的同志怕露出了马脚百般的不要他们帮忙抬，但他们是那样客气，偏要给抬。一路上群众们喊着，警告着卖纸烟的“别再卖纸烟啦”！一直到家群众还不散。

当我“死”去的时候我们的不知这是演戏的同志都吓坏了，听说一个女同志还哭了一顿，袁勃同志则急得来回瞎跑。

这时我们的同志们利用了这机会马上组织了一个示威游行和群众大会，老百姓都痛苦流涕的演说。把区长，牺盟会的负责人都请来了，他们也是慷慨激昂，我们的同志也忘记了，激烈的喊叫。于是在这个会上产生了一个万安镇的民众除奸会，永远地去做除奸的工作。在场的观众都参加了，而我还在家里不敢出屋演着这个戏。直到第二天早晨，我还睡在火车里，等到出城好远了，才从车上爬了出来。

我怎样写起小调的

高敏夫

在晚会里，在行军休息时，我们的歌咏队被广大的人群请求，包围。那些天真活泼的伙伴们，鼓起响亮的嗓音，严肃地，激情地唱起《义勇军进行曲》、《保卫祖国》、《老乡》、《上战场》、《牺牲已到最后关头》、《武装上前线》、《黑龙江上的歌声》、《全面抗战》一类雄壮的战歌的时候，虽然被这震天撼地的呐喊、呼啸所激动，所感染，不禁手舞足蹈，挺胸阔步，流着沸腾的血，跳着紧张的心，咀嚼着强盗们所给予我们民族的仇恨、横暴、耻辱和前线将士们英勇浴血的光荣战绩，感到愤懑，也感到欢喜，终于因为我在这一方面没有丝毫的修养，不能同这些伙伴们踏着同一的拍子放声高唱，感到深深地怅惘！

那还是我们没有从延安出发以前的事。在一个紧张而使人永远不会忘记的礼拜六的晚会里，我愉快地听到了《新送大哥》的小调，我了解它的内容，我也会唱它的谱子，我喜欢它。用了几分钟的工夫，把所有的词念熟之后，我就混在那些歌手的群中，和她们一般无二地歌咏起来。这给了我一个暗示，引起一桩回忆。这样的东西，容易被一般市民和没有文化教养的大众接受、理解、学习，形式是他们熟习的形式，语汇是他们熟习的语汇。十年前我曾用家乡的小调谱子填过新词，也得到一些朋友们的赞许，那是讴歌北伐时的故事的，不过偶尔玩玩，近乎一种文字游戏，并没有当成一件正经事做。直听到《新送大哥》才明确地提示给我这种作品在目前的需要和容易普遍流行的事实。

我写的第一个小调是《要打得日本强盗回东京》，用的是陕北最流行的《盼五更》小调。好久没有写过这类的东西，第一次写丝毫没有自信。拿给丁玲、奚如看，他们改正了几个字，就交给歌咏组于很短的时间内，唱熟了以后，在几次的晚会里大家唱得兴趣勃勃，也就鼓起我继续写作的兴趣。第二个是《送郎上前线》，用的是东北《送才郎》的调子。这小调原词的情调，颇适合填这一类的新词，填小调这是一个主要的条件，和原来的形式完全不相称的新词和情调，是不能鼓舞听众的情绪的。这必须体会小调的原词和情节，不然，就不能收到应得的效果。第三个是《男女一齐上前线》，用的是陕北《闹五更》的谱子。因为新词中有“拿一把青龙大刀显威风，活活像关公！”的语汇，团里就立刻引起一种争论，有的人以为我们现在作战用的武器并没有青龙大刀这类的东西，就不该这样的写，有的人则根据长城战争时二十九军以大刀队歼灭敌人的史实和白刃肉搏的浴血战斗来支持我的原词。我以为这类普通流传于民间的故事最能抓住他们的心理，坚决地采用了这些语汇。此外如《献给八路军》、《人人都爱他》等，均是渡河后所采取的晋绥的一些小调谱子写成。这些东西在我们足迹所到的陕北、晋西、太原、晋东、晋南很普遍地流行起来，有些地方的学生和民众，在我们还没有到达以前，他们就会歌唱了。譬如我们一到晋南运城的女子师范的临时小学里，就立刻听到我们小调的歌声，给了我们不少的愉快和兴奋。

为什么小调比其他的歌曲更易于普遍地流行呢？这唯一的原因，就是在形式方面他们看得惯，容易学习，情调也和他们相近。没有艰深和佶屈聱牙的语句，自然化、故事化、形象化，也是一个重要的条件，单纯的概念和口号标语，是缺乏鼓动性与感染性的力量的。

我们到一个地方，就马上采取那一个地方比较流行最广的小调填新的词，即时教给当地的民众歌唱。像《大同府》、《我们要做个游击队》等均是采用太原一带的小调，只要把新词教三两遍，他们马上就可以和我们合起喉咙唱了。在有些地方有时候也会碰到困难，你要是先不唱给他们听，他们总是躲躲闪闪，羞羞怯怯，不肯把他们的东西拿出来，这就需要有耐心，有方法和他们亲近，否则是不能得到更多的收获的。在目前我们这一方面的工作，还只能说是一个开头，而且有许多不够的地方，很望富于这些经验的朋友们，给我们以更多的指示和意见，我们是热诚地期待着！

我之演唱大鼓

张　克

在抗战期间，中国需要由宣传而动员广大的民众参加“直接”或“间接”的抗战，这是谁也不能否认的事。于是怎样去宣传？拿甚么方式去宣传？这些问题就成为做宣传工作者不得不注意商讨的事了。

抗战以来，各处宣传的团体产生了很多，也有很多的宣传形式，这是很好的现象，这里我不一一去说它，我只说说“大鼓”，以及我是怎样编、唱、起来的。

“大鼓”是从什么时候产生？是怎样产生的？中间或经过甚么修改而形成今天的形式？很少听人谈过，所以我不大清楚。但却去听过好多次，它的形式很简单，只有一个人前边放着一面鼓，左手打着一副响板，右手拿一支打鼓的棒，指手画脚地唱起来，再有一个或两个人给他弹着三弦或拉胡琴，便够了。唱得好了很能引人入胜，尤其是“京韵大鼓”，充分具着悲壮的韵调，如表现战争的情节，很能感动人，能使你听了会痛哭流涕，能使你慷慨激昂。

回忆数年前悠游平津，往往携两三知友去听大鼓，刘宝全唱的《战长沙》、《华容道》、《单刀赴会》等，描写那位民族英雄关云长，是如何英勇善战，壮气浩然，唱的声色如绘，表来眉飞色舞，令一般观众神往入胜，若置身其境。他那一段《“宁武关”周遇吉全家殉难》，一般观众听了都凄然泪下。这正表现了他的“大鼓”的力量，总不能说那些观众都是儿女情长或好替古人担忧吧！

总之，大鼓虽然像是已经古旧了的东西，然而它有着它的艺术上的特点，我们民族习惯它，喜爱它，它的形式是一个经济简单而有力的宣传工具。在抗战的期间，中国广大的群众须要宣传，若能利用它的形式装上新的内容，到城市里，到乡村里，到各处的人群里，到军队里，宣传鼓动，阐扬民族意识，增加抗战力量，不能说这是没有意义的举动。中国新文学关于大众化的口号提出了几年，却仍不能做得很好。在此抗战期间，我们应当多编制各种旧形式新内容的东西广泛的传到民间，使得看章回小说的听说书的人群却能知道一个国民应尽的义务。倘若素来以唱大鼓为主的人，能改唱这抗战的鼓词，那是更所希望，这就是我编大鼓词的动机。

编些什么？怎样去编才能使它发生较大的效果呢？我想第一应该把握今天抗战的时代去编，使听众感到现时切身的利害，是生死存亡的关头，使他们感到不群起抗战不行，不坚持持久抗战不行，不努力巩固扩大统一战线不行。第二应该从中国大众的文化水平着想，字句须要通俗化，使一般群众容易了解，不使它成为少数知识分子的领略品。

下边是我说明我是怎样唱起它来的。

卢沟桥事件爆发之后，轰动了中国西北角上的延安，西北战地服务团也就因着它的任务而产生了。我也参加到团里来做宣传工作，到团里之后就根据了上述的观点，开始了大鼓的尝试。最初编了一篇叫《劝国民抗战》，我们主任丁玲说很好，自然她是在有意的鼓励我，就连我自己也很不满意那篇写作，但是我不泄气，我不单还要研究怎样去写，更要揣摩怎样去唱。

第一次登台唱大鼓是在延安一个礼堂里，那时延安正值开“九一八”六周年纪念大会，西北战地服务团就在那天第一次公演，一座只能容五六百人的礼堂里，观众拥挤得没有一点空隙，大鼓《劝国民抗战》的出演是排在两幕话剧之间的，因为唱大鼓在延安还不轻易见到，所以大家看到广告上有大鼓的节目，都具着希奇的心理等待着。可是，我觉得他们是在有意地看我上台丢人。等第一幕剧将要演完时，我的心就在加紧的跳动，但丑媳妇总免不了见家婆，究于在台下狂呼台上催促之下，我和操弦的李劫夫同志登台了。

震雷似地一阵掌声，好像一排猛烈的炮火向我无情的射击着，更使我的心在跳动，脸在发烧，头在膨涨了。台下的观众好像看新娘子一样的盯着我，就连摆在自己面前的那面鼓，那张桌子，也都像在嘲笑我一样。

虽在这样的僵局下面，还是得要唱下去，指手画脚地唱着非牛非马的调子，好像老学究在那里念文章，或者像佛教徒在那里读善书。这样撑着观众与我之间的难堪，唱到将完的时候心才平安了一些，唱到最末一句好像刚刚释去的囚犯一样——轻松快活，唱完了下台的时候，观众还赏了一阵掌声，但这掌声好像是对我嘲笑，又像是庆祝我脱离了难堪的局面。

第二次出演是在延安县一座古庙里面，那一次算是有了经验了，比第一次也大胆了，自然比第一次要好点了。我们战地服务团到了山西之后，经常表演大鼓，因之唱的也一天比一天进步，编的鼓词也就逐渐增加。计编成的大鼓词有《劝国民抗战》，有《台儿庄大捷》，有《飞将军阎海文殉国》，有《平型关大战》，有《拥护蒋委员长》，有《宣传国民党抗战建国纲领》，有《巩固统一战线》……等。不外叙述日寇如何残暴，我军如何英勇，军民应当怎样互助，怎样拥护及帮助政府，怎样施行抗战建国，怎样争取最后胜利。一年以来到处演唱，因为它的内容是今天抗战的东西，所以也受了一般人的欢迎。

自然啦，以我一个没有经过师教的外行人硬干，当然是免不了差池的，但是在这不断的编，唱，一年中间，竟收到了相当的成绩。可见这一个工作，不在谁“能”“不能”干，而在谁“肯”“不肯”干。我始终相信，作为宣传方法之一的大鼓，能有更多的人，去学习去运用，以这种最通俗最易被大众接受的形式，扩大宣传，增加抗战力量，将来的胜利里面，未始不含有自己尽了的一份责任。

爬雪山

王　钟

十一月二十日，我们从沁源出发到考驿村，这是我们行军中最困难的一日。这几天都在下雪，简直没有停过。又听说前面有两个很高很大的山，加上一一五师的队伍，和我们的队伍一道出发。要是被他在前面走把路踏坏了，就更难走了。能跑到前面在雪上走，是比较好走些，于是我们决定和他们竞走，跨到前面去，可是夜晚一一五师参谋处来了条子。行军时的序列，把我们夹在当中。于是既不能在前边，又不能掉队。前面的路已被他们踏得稀烂，泥有半尺高。以至走一步，退半步，或者摔一跤；摔了时，也无人怜惜，心里难受，也没有时间说，因为后边的人又催着你呵！

——来吧！我们一起走。比较能走路的同志便招呼我们几个走不得的。于是我们就互相用手拉成一群，走起来倒也便利了许多。但是还有些同志因为鞋子太大，走路时不得劲，一走便摔下了，等你蹲下去掏鞋，赶路又赶不上，想找根绳子把鞋绑在脚上，连绳子也找不到，鞋子还没弄好，队伍到前面去了。在后面真着急，越着急越走不动，没有法子只好掉队，可是掉队的心情比什么还难受。但是我们始终挣扎着，不让离队太远。

上了山，又下山，风吹雪片打在脸上，雪水从帽檐上流到脖子里，军衣上全是泥，满手也是，摔下去，不小心，被刺拉破了，血又从冻肿了的手上流下来，然而冷与痛的感觉都没有，心里只想快点到了就好。

今天行军因为下雪所以只一个劲往前赶，片刻的休息都没有。到后来身上倒也热烘烘的，大量的出着汗，口渴得很，看见路旁的雪，禁不住就抓来吃。

——同志这样要得病的！旁边的同志又在干涉人。

——我知道，可是口渴的很，吃一点儿吧。

——忍忍，到了找开水吃吧！

——可是什么时候才到呢。

好容易到了目的地，把宿营处找到，一看每个同志身上全弄湿了，有的鞋子简直破得不能穿，没有第二双鞋子换，只好把些不能穿的鞋子在火上烤烤，把它补一补再穿上，不然第二天行军时更难走。

我们吃过了饭，身上也暖和了，脚也洗过了，可是我们的行李还没有来。我们非常记挂这几个赶牲口的同志，这种苦处我们都吃过的。驴子小，行李驮得很重，平常已经难走了，又逢着山路这样滑，走不上时，就要推着它走，尤其是较危险的山路，它就简直要摔下去。这时要把它推着走上去，时常行李会摔下来，不然驴自己就蹲下来，打死也不起来，赶驴子的人把它的行李卸下，设法把它弄起来，再给它驮上，像今天这雪山，他们几个人如何弄得了呢？

到了晚上，他们还没有来，我们真焦急，我们又想到那驴子上边的我们的被子了。一直等到十二点到一点钟，跟行李车走的几个身体不大舒服的同志才回来了，说车因路不能走驴子也不肯走，在半路上停住了，现住在一个小村里。他们因为不能翻山，走平路又远了三十里。坐在车上的吴耐鸿同志，因为车走到险恶处，他不肯下来走，牲口一动他掉下去了。不过幸好掉在雪堆上，没有什么。他因为过去生活比较优裕，怕吃苦，所以晚上一直骑到这里，到时脚完全冻住了。我们看见他这种状况，又想着掉在后边的几个同志，说不出一种不舒服的滋味呀。

晚上睡觉没有被条，虽然很冷，但明天还要行军，只好冷着睡吧。于是大家挤在一块，把老百姓炕上铺的土毡子拉下来，盖在身上，可是盖住膀子，脚便露出来了，盖上了脚，膀子又要露出来，人疲倦了，就也睡得满熟的。

第二天又继续雪里行军，行李仍没赶上。直到几天后，天也晴了，行李车也来了，几天没有见到的同志格外显得亲爱，大家兴致致的互诉着各自的经历。

我们在潼关

田　间

大风沙是在无处不到的拦阻着人类的道路，我们的生命，已经陷在大风沙和大危害里。为着要为自己复仇，为着要促自己复活，我们恐惧困难吗？不，——一千万个不。

我们的工作，要到处扩展着，我们要把民族自卫的戏剧，排演到沙漠去，或者是河岸上去；我们要把民族自卫的歌，合唱到沙漠上去，或者是河岸上去。……因为在沙漠上，在河岸上的北方民族，是喘息在愚昧里，在迷惑里，在灾难里，在无知里，在梦里，因为他们还不能真正清楚地认识中国今天最大的敌人呵！那些勤劳的人，纯朴的人，我们不能望着他们以可怜的血漂流向残酷的悲剧，向痛苦的刀子！我们不能望着他们束手待毙地走向日本帝国主义的绞架！……所以，我们必需唤醒他们像必需唤醒我们自己起来自卫一样。

起来，磨祖国的刀，擦祖国的枪，为我们的祸患复仇，为我们的战争努力。……

西北战地服务团同志，第一次来到潼关，把自己的呼声，带到潼关；把自己的步伐，带到潼关；把自己的工作，带到潼关；把自己的旗帜，带到潼关。

虽然，在潼关，大风沙又连天地扫荡着，使我们可以听到那沙粒一颗一颗地刮着的声音，是在无处不到的拦阻了我们，困难了我们。但，中华民族没有灭亡，四万万七千万个的呼吸没有离开亚细亚的苍空，亚细亚的地平线，我们的工作，是不能停止，也誓不停止！

几个月来，我们曾经以自己的经验，和我们亲爱的同胞——中国之子们接近，规劝他们，呼唤他们。而我们自己，也没有忘记去养育自己，锻炼自己工作的技术；因此，在潼关，当一支短烛所闪耀的光亮之间，在几张芦席的地位之上，我们通讯股的小组会热烈地议论着；而且，当广场上，我们戏剧的导演设计着新剧的场面和人物，当灰土的墙壁上，贴出我们民先队的布告。

而且，在潮湿的角落里，睡着我们患病的同志，他挣扎，他希望，一个向仇敌反抗的青年，艺术工作者，演员，像他是应该能健康些，强壮些，使他能继续很好地为祖国而工作！为神圣的战争而工作呀！

并且……

从遥远的，暴乱的风沙里，我们亲爱的同志们，一队一队向伤兵医院出发，和那因为祖国而受伤的英勇斗士握手，和那因为祖国而受伤的英勇斗士谈话。……

并且……

在潼关的污秽的市街的墙壁上，那几千年以来堆积着腐败的气味的墙头上，用我们的粉墨，画出了日本帝国主义者，日本帝国的刽子手们的阴险的面目，杀人犯在戕害我们同胞的时候的面目！用我们的粉墨，诚恳地向国民宣告：

“团结御侮！”

“抵抗到底！”

当然，可惜的，是因为潼关当局的顾虑，致影响到我们的剧，我们的歌，未曾演奏在潼关的广场上、市街上、河岸上、船舶上。不过，假使我们召示在城楼上、在车站上、在房舍上的壁报，只要潼关民众能站在那边，读过一遍，而有所恍悟，我们的苦心，我们的工作，我们的愿望，会获得那从大风沙中透露过来的回答……。

女同志们

何　慧

这一群女孩子，和男同志们一样的，过着简单的日子，吃苦耐劳的能力是不下于他们的。她们爬过雪山，应付过惊险。行军的时候，一样的要背起行李，一样的要赶驴子，用两条腿走上几十里的路程。其他在生活上，工作上，也是一样的要负起责任来的。不到十个的女同志形成了一个生活单位。

以前，她们和别的地方的女孩子们没有两样，曾是家中的“小姐”。父母的爱宠，她们对于那些美好的东西，也不会没有过思慕；对于快乐的平静的生活，不是没有过憧憬，或者，她们曾是在那么舒适的环境中长大起来的。然而现在她们要抛弃了那些东西，她们要脱下美丽的旗袍，换上粗糙的灰布军衣。在这一点上，她们再也不必讲究什么样式，什么花头了，冬天的棉袄上面，不曾是有过一道一道的黑亮的油光的吗？有时在身上不也找出过虱子吗？在被褥上，跳蚤屎不是常常发现的吗？然而这些，她们再也不会在乎的，在都市的大街上，那百货店的窗里所陈设的那些东西是不能再吸引她们的注意力了。一般的粉、胭脂、口红之类的化妆品，只在演戏的时候用过。短短的头发，罩上军帽，一身军服，站在那里有时也会使人看错；走路的时候，也不是扭扭捏捏的，而是把两臂甩开，迈起大步地走的。平常甚至连说话也变得粗糙了。看起来真够“野”的很。现在，有时也会谈起旧日的生活，可是，对于那种物质环境是不会再留恋的了。

在工作上，大家都属于宣传股，在歌咏，戏剧，美术，杂技等组工作，同时又有三位同志兼了总务股的工作的责任，如卫生委员，会计，文化娱乐委员等工作。但在一般的工作上，我们和男同志是没有分别的。就这样，我们大家一同推进了服务团的工作。

在一些工作上，我们是比较得力的，如妇女工作，家庭访问之类的工作。我们走进一个乡村，老百姓们都围了来看“女兵”，我们住下的时候，妇女们都来拜访我们，到老百姓家里去，也很受欢迎。她们总来向我们问长问短的，她们关心的是，大姑娘怎么能走这些路，怎么离开了家，一个人出来不怕吗？甚至于问我们有了婆家没有，还检查我们的头发，看看究竟是不是女的。趁着这个机会，我们就可以做宣传工作了，往往可以收到很好的效果。曾经有些乡村的大姑娘竟想来参加服务团呢！

为了我们是女孩子，脱离女孩子的生活不过才有一年多，所以在生活上不免会现出一些弱点，然而这些弱点都被我们渐渐的克服或在克服之中，性格是渐渐强起来了。对于政治问题也很注意，工作能力也因一年多的锻炼而加强，然而有的时候，也会现出一些毛病，可是因为我们有生活检讨会，这些事是被提出来让大家注意了的。我们反对那些娇气、浪漫的表现，因为我们既是军人，便不允许有女孩子的娇脾气；我们也反对男女在一起所表现的亲密的样子，这并不是我们封建，是为了我们要在老百姓之中做工作，她们对这一些是看不惯的，在他们对我们不信任的时候，我们又如何去向他们做工作呢？

对于工作，我们一样地有热情，而且总是很负责任的。当工作分派到我们身上来的时候，我们总是很努力的把它迅速的完成。为了工作，我们可以把女孩子的害羞的毛病改掉。我们可以一样的化起装来，到街上，到广场上，用奇奇怪怪的姿势来扭秧歌，而且能够出“洋相”，这并不是容易的事啊！

这个时代里，我们不再依赖家庭，而走到战场上，学习着怎样来工作，怎样来在保卫祖国的伟大的工作中尽我们的力量。我们牺牲了自身的还可以享到的幸福，我们情愿受苦，在困难的环境中，锻炼了自己，使得我们更坚定，更能适应祖国的需要，同时也提高了自己的力量了。

运输员

奚　如

有一次，我们这支小小的队伍，在火车站上发生了一场不大不小的纠纷。起因是为了争坐三等车厢，而着实动火吵嚷的，是一个新从供给部派来的运输员。

那时，我们从太原出发，准备到聚集着数千铁路工人的阳泉去工作，但正当出发前两点钟，一个出人意料的电报，从在阳泉那边作战，由刘伯承、徐向前二同志所领导的一二九师打了来，说：

“娘子关已被敌人突破，阳泉正开始了猛烈的战争，战地服务团似可暂缓前来。……”

我们已经在太原工作了两星期，实在不愿再待下去了，既然阳泉不能立即就去，但不妨先到榆次，一面工作，一面等候阳泉战况的发展，再决定我们行动的方向。

太原城当时正处于敌人猛烈的飞机轰炸之下，白天里所有的商店住宅都是关闭着，行人稀少，只有晚上才突然恢复一下都市的风光，电灯燃了，商店开门了，车马行人拥挤在明耀的街道上，显得十分的纷乱紧张，似乎都在暴燥地要把白天里恐怖荒凉的压迫，一举而向自由的夜市求得解放。我记得当我们通过东城门时，我们那七条从陕北带出来的驴子，有一条就被几架横驰急叫的军用汽车碾死了，而另外六条则被冲散了。

好容易我们才东碰西闯地到达了正太车站。

满是喧嚣的待车的士兵和马匹。炮车的铁轮在搭板上咕咚咕咚地鸣叫，呆重地滚进敞车。沿车站的墙脚，胡乱地躺着新从前线运回来的呻吟的伤兵。

几点黄昏的路灯凝视着这动乱的场面，风悄悄地带来了雁北的寒凉。

铁路管理局给我们拨了两个车厢，一个是三等客车，一个是铁皮敞车。

根据人数的多少来分配车厢，当然应指定工作人员乘坐三等客车，事务人员乘坐铁皮敞车，另外还有一个原因，就是我们的大小行李和牲口，必须放在敞车上，而看管它的职责，又一定得属于事务人员。

但因此竟发生了一场纠纷。

事务人员拒绝这指定，也可以说反抗我们关于分配乘车的命令。

七个小鬼（勤务员）像受了什么盖天的冤屈，一个个嚎哭着，从铁皮敞车上跳下来，叫嚷道：

“这样不平等呀！……我们事务人员不是人吗？……为什么我们该坐这敞车呢？……”

那个专负责约束事务人员的管理员，也在吵闹声中，格外张大他那浮重翻红，活像一对灯笼的沙眼，用鄂豫皖边的腔调，鼓舞着他的直属部下：

“是的，我们全体下车！……不去！……请上级把我们送到禁闭室里去好了！……”

其间吵嚷得顶凶的，还算是一个新来的运输员。

他已经是四十多岁的人了，个子很矮，有两抹很尖很黑的胡须竖立在嘴角，那使他的整个面相都格外显得顽强。

他像一只暴燥的狼，连连跳着脚，并用扁担捣击着地面，仗着他锐利刺耳的四川口音，愤愤地说：

“我们是无产阶级，他们上过大学，是资产阶级啥，……是哪嘛，我们还有这资格坐好车子？……但只是，从前我们在四川江西闹土地革命，打游击，经过雪山草地，饿了啃皮鞋底的时候，他们是在啥子地方的呢？哼，现在……闹民族革命，讲统一战线了，他们就都来了，并且还要坐漂亮车子！……”

“同志，这没有什么大不了的哪！……三等车厢只有一个，我们不能把它分成两半啊！……再说，敞车总归要分配人去坐的，如果分配工作人员去坐，让你们坐三等车厢，那么，他们也跟你们一样，争起平等来，那怎么办呢？……”

不待我给他解释清楚，他还是哇喇哇喇嚷着：

“我们要的就是个平等！……过去，莫说旁的，就是总司令朱德，我们也曾经在一个稻草堆上，平头齐脚地睡过！……”

我知道这农民的平等观念，是一下子说不清的。而他那把农民以外，凡是带有一点儿城市气质的人，都一律喊作资产阶级的素朴而错误的逻辑，也不是三言两语所能纠正的。但我知道有一个东西，深深地主宰着他的灵魂，他是无条件服从着它，作为对于事务判断的准则。

于是，我从这里对他发问了：

“你是什么时候加入红军的？”

“一九三三年。”

“哪一部分？”

“四方面军。”

“你是党员吗？”

“是的，我是党员！”

“入党多久了？”

“四年了！”

“那么，是老党员啊！”

“赫赫！……是的，同志！……”他自负地挺了挺胸膛。

“既然是老党员，……”我针对着他这自尊心，说，“为什么不起模范作用，说服别人，却反而格外在这乘车的小问题上闹意见呢？……他们是新加入八路军工作的青年学生，不比党员，在某些物质上，我们应该特别优待他们才好啊！……何况他们——尤其那些女学生——现在都能吃苦耐劳，为了抗日他们抛弃了美满的家庭，到我们部队里来服务，同样吃小米饭，穿粗布军衣，走路，爬山，……这即使像你所说的是资产阶级，那我们也得欢迎他们，同我们一道工作啊！……呃，同志！这不就是我们的民族统一战线的成功吗？……”

他稍微忸怩了一下子，随即坦然地说：

“是的，我们错了！……同志，你说的对！……我们是老红军，是党员，应当做模范，应当多吃苦的！”

说着，他以一个英雄气概去担当一切艰难的姿态，动手将那些行李挑上敞车去，并同时督促着其他的人：

“喂，刘大海！……你这小鬼，还撅着嘴巴干啥子呀！……只要能把我们运到前方，管他啥子车子都行啊！……”

他敏捷地劳动着，那条松木扁担在他的肩上发出悦耳的吱呀吱呀的响声。

一九三八、三、六、风雨之夜。

一个小战士

袁　勃

听，谁又在唱？手板叭叭的响，一阵激昂的声音又传播起来了。不必三猜两猜，一定是我们的小战士，那个小家伙，又在练习他的《莲花落》哩。

真的，我们的小战士，近来越发活泼了。爱唱，爱跳，爱闹，谁看见他也会把他拉到怀里摸摸脸蛋的。他没有一个时候不快乐，不高兴。平常，差不多工作完毕了，嘴里总是哼着歌声，否则就唱《莲花落》。他具有一切聪慧儿童所具有的优美性格；虽然仅是十三四岁的年纪，为了离别，为了同爱他的或为他所敬爱的同志，因工作上的需要到旁的地方去的离别，临分手的一声“再见吧”总是先看见他把脸扭向没有人注视到的方向，满脸留下滴溜溜的泪水。

他的名字叫小杨，喊起来是“小鬼”。纵然他听见这两个字不很耐烦，呶着嘴让喊他的名字，可是因为我们习惯了喊勤务员为“小鬼”，所以仍然那样喊着，改不过来。

“这个孩子乖的很”，是我们共同承认的话，并且，在他身上，我们看出了很大的希望。他现在担任着勤务员的工作，替我们做一点杂事，是说不上累的，既有时间学习，我们都能经常的指导他。他即便不过是山西乡村中三四年级的小学生，可是参加到我们团体三个月来，因为天天念书，已经有了飞快的进步。不但爱读《在火线上》、《东战场纪实》等一类实际反映战争情况的书籍，并且常拿着《蒋委员长抗战言论》、《毛泽东印象记》，不忍释手。看不明白就皱紧眉头苦苦思索，等一下便找我们探问个底细……

再说清楚些，他已不仅是个做做杂事的勤务员，在我们中间，他已经是一个呱呱叫的小宣传员了。我相信，在山西的农村中，一定还有不少的人还不会忘掉他唱《莲花落》的影子。他在上装跟他另外一个同伴，走到无数的群众面前，唱那一套“别看我的年纪小，我懂得抗日的事情不算少，不打日本活不了，我知道……”曾使得我们的宣传工作平增了极大的力量。就按这一次我们经过临汾（二月廿日左右），在民族革命大学教职员及四五百同学欢迎我们的晚会中，他报告的话，“亡国奴不是人当的，我虽然是一个小孩子，也要尽自己的力量做抗日的工作，所以加入西北战地服务团担任勤务员，还要学习着做宣传工作直到把日本鬼子打跑为止”，曾深深的打动了听众的心。小说家萧军先生因为受了感动，当场发抒了他的慨叹，认为在抗日的战争中，一般成年人的任务是应当加紧努力粉碎日寇的进攻，拯救不应当上战场而被日寇逼上火线的孩子能有安全成长的日子。

我的感动比萧军先生以及其他的人们更为深切些，那正如我知道这孩子的悲惨命运比旁人更深切些是一样。以下，我愿意说出关于这个孩子的永远不会被我忘记的故事，即仅仅是一个粗糙平淡的故事，它却隐伏着由于日本强盗疯狂的非人行动所课与中华民族的每一个人身上的戕害是何等的苛刻与惨暴。并且，由于我一切优秀的中华儿女坚强的挺起身来冲出这戕害的力，象征着我们的国家，像为暴风雨所颠簸着一只船，即最缺乏水性的人也将运用他所有的力量来挽救那与他生命攸关的孤舟的艰危。同时，在实际的感受与磨练中，人类的智慧将把一个（人）在某一时间，某一事件，开始是蠢笨与无智，逐渐会成为聪颖与精干的人物的。

这个故事的开始，还得从我们的行动叙起。那大概是去年十二月初间，我们随着那曾在平型关与日寇血斗得到了光荣胜利的一些战士们，滑过了晋东一带崎岖而峻峭的积雪的山岩上的松影，到晋南洪洞、赵城各县工作。工作的中心，帮助一切抗日部队补充新战士，同时，我们要扩充一个儿童队添演跳舞、活报，使宣传方法更复杂化。只记得，在洪洞的演剧，惹起所有观众最大的兴奋。节目完毕了，他们仍然一直要求丁玲同志讲演，要求其他同志报告，时过半夜，才均依依惜别的慢慢散去。在那些日子里，我们的宣传，在兵士中，在农民中，在商人中得到了极大的效果。听说，洪洞的一个村镇中就有五十个年轻人，在看过我们演戏之后，参加了抗日的队伍。我们的儿童队，没有几天就够了数。其中一个最惹人喜爱，脸庞俊俏而稍胖，长着圆大有神的眼睛的就是小杨。

时间往前推移着，已是十二月中旬了，那时我们宿营在洪洞县 ×× 村。在一个太阳已懒洋洋的在西边山头上闪出灰黯惨淡的光的下午，团内同志都出外工作去了，只有我一人留住，在寂静中挨过时光；忽然听到外面传来一种嘈杂声，为了好奇心的驱使，我不由得便跑出大门去看。

街上，一群人正以惊异的目光凝视着一位蹲在地上的老人。那老人，双手柱着腮巴，胳臂拐放在膝盖上，沉默着像一块顽石。原来他就是小杨的父亲，是来领小杨回家去的。我走近他，轻轻的拍了他一下肩膀，请他到我屋子里谈谈。他抬头看了我一眼，叹了一口气，站起来就跟着我走。从他黑瘦的面孔，高高的颧骨衬托着的那双小而无神的眼睛所透露出的光彩，我断定他是单纯而又固执的农民。走到我的住室，我请他坐下，他像是有点不好意思，呆呆的站着。经过再三的催促，才坐在火炉旁的砖梁上。

我首先向他说明，我们的儿童队是自愿来的，并且，大多数都是他们的老人亲自送来的。他们，在我们这里学跳舞，学唱歌，学认字，比上学堂差不多。就按小杨说吧，等一等年纪大了，懂得了道理，不是有很大的希望吗？可是，那老人仍然叹息着，像是不愿意听什么道理的样子。于是，我就问他耘几亩田，怎样过日子，知不知道小杨的出来。他翻白了一下眼睛，吃吃的说："我有两亩地，我在外村给人家当长工。昨天回家一看，才知道小杨往你们这里来了。他是得到了他奶奶跟他叔叔的允许的。可是，唉！我只有他一个孩子，离开他不能过，不能过……"一面说，一面摇头。

我看到他苦凄的面孔，逗引起无限的同情。只是，我仍愿提醒他，使他知道，日本强盗已经打进了太原，如果我们不用尽力量打回他去，谁的父子也不能再团圆了。现在，我们一起打日本，等我们胜利了，大家高高兴兴的过团圆日子不更好些吗？可是老人像是没有听，单用思索去消磨时间。我正感觉着说话的失败，忽然看见他抬起头，瞪着饿一般的眼睛，喘吁吁的向我说："老……老总！你饶了我，叫小杨跟我一块回去吧！"噗咚一声跪在了地下，眼里还淌出了泪。那时真把我急坏了，慌忙的把他扶起，劝他千万不可如此。正在纠缠的中间，另外走进来了一位同志，才算解了我的围。我们决定了，即刻把小杨叫来，如果他愿意回去，那么就请丁玲主任答应他们父子的要求。

小杨来了，我们把意思讲给他们父子，请他们好好的商量。

“孩子，你跟我回去吧！”做父亲的带着祈求的口吻向坐在炕沿上的孩子说。小杨却给了老人以天真的笑，他回答着：“回去怎么着呢？这里不打人，不骂人，比学堂里读书还要好哩！”老人气急了，头摆摇着，双手槌击着胸膛，晦气的说：“孩子，你忍心丢下我不管呀！啊……啊……啊……”

小杨看到他爸爸的神情，也流出了泪；但他仍然很坚定的，慢吞吞的说：“爹，我知道你爱我，可是，我不能跟你回去。日本鬼子来了，我们谁都不能活！”

小杨的话使得老人的脸色虽然变为极苍白，好像在他心底里滋生起一团火，那火被潮水所浸润，不能发出光焰，使他从嘴里哼出来了绝望的长叹：“孩子，唉！你没有良心，我没有你就要死，死……”出我意料之外，在那种凄惨的场合，小杨竟表现出了他的顽强性，他说：“爹！你好好的过日子吧！我在这里……”他的话，我想谁处身其间，也不能不想到惊奇吧。老人难免就哭泣了，小杨呆了一会儿，我也没注意到，他竟悄悄的溜开了。之后，我劝老人吃过晚饭，在黑漆漆的晚上，他孤独的踏上归家的路途。

从那时起，那老人的忧郁面孔并不因时日的变迁，在我脑海里褪色，有时就会泛起他的影子。二月二十四日，我们正在临汾车站等车南下，忽然看见小杨的父亲跑了过来，我没等他讲话便急切的问：“哎，老先生，你来叫小杨回家去吗？”他笑了笑，满带坚决的口气说：“不是，不是。我给他送来两双鞋子，他跟你们很好，吃的又胖。就是我自己也知道了，不打日本真不能活！这样一次从介休跑过来的难民说，鬼子来了，烧房子，强奸女人，唉呀！简直无天无理。同志，我也参加自卫队了，正在学打枪，要给鬼子豁出这一条老命拼……”他说完便很高兴的走开了……

现在，日寇的铁蹄已经踏到了晋南，那里的人民已经展开了“誓死保卫家乡”的游击战争。我想，小杨的父亲，也一定在战斗中伸开他坚强的臂膀，变成一个老战士了。那么，等在把日寇驱逐出中国的那一天，他们父子得以重新团圆，这是多么快乐！

三月二十五日于西安

丁玲同志

史　轮

——假若我们是一队兵士，自然有他严厉的军纪，一切讲服从。假若我们是招来的一班学生，那也有校规，不好则记过，开除。假若我们是学徒，是工人，那又有鞭子紧裹着你的脊背，饭碗维系着你的肠胃，都比较好办的。

而我们恰恰是笔杆、大枪、胡琴、绣花针、幕布、颜料箱、行军锅、赶驴鞭组成的一个长的行列。我们的脾气也和这外表一般复杂。论起文化水准，却是从留洋生以至文盲；论起经济背景，却是自少爷、小姐以至捡炭渣、住地窨者；论起职业，却有作家、秘书、带过几千人的军官、轻易不能在一个学校维持一学期的教员、罢课的鼓动家，五卅、一二·九示威行列的领导者，不安分的工人农民、不听父母之命的孩子……。

纵然今天熔成了一团，过去却曾经白刃相向的也不是没有。纵然一齐向着抗战的这座灯塔走着，但又各怀着在自己那普式庚[1]、高尔基般的生活史里铸成的铁魂一样的自信心。

因为自己在过去和命运顽强地斗争过，并战胜过一切，才过于崇拜自己的心情，使这些人虽然自觉着用崩山的力量克服过，克服着所有传统和环境给压在背上的重载了，然而这不适于抗战所要求于我们的重载，却仍然像富士山下的熔岩一样，不时的喷涌出来。

英雄主义、个人主义、无政府主义的倾向，仁道主义者的心情，厌世者的残渣，罗曼蒂克的余烬。……这些在作着祟！正因为这些的残存，就不能不使我们在中途停止一刻，或绕点小小弯儿。

而我们的纪律呢，仅仅是一个“自觉”，自觉，自觉，说着容易，实践起来却十分困难。做到“自觉”一步的，固不乏人，但在脾气发了，就是枪毙也不怕，磕头也不听，一百条壮士也拉不转的人，却还不能根绝。

听话的人，个别同志也能说服；小的纠纷，组长、

[1] 即普希金。——编者注

股长也能解决，但遇着复杂的事件，那仍非我们的主任亲自出马不可。

虽然她在一次行军中看到路旁那牧羊者的时候，曾谦虚地这样说过：“你们好比一群羊都在吃草——忙着，而我却像那牧羊人，揣着手儿悠悠地坐在田埂上，最大的工作也不过吸吸烟而已”。其实她却有使我们吃惊的魄力，机敏的手腕，遇着团内某人狮子样咆哮起来，或向牛角尖硬要钻去的不幸事件发生时，她总能解决得恰恰合适的。这不是说，我们的丁玲同志是天生的一位天才领袖。谁都知道，过去的她是一个作家，这正如她在起初成立西北战地服务团的时节所说：“谁曾见过这么一个全国一致的大规模的抗战？谁干过什么战地服务团？谁当过这样的一个主任？”那么，她的魄力、手腕，究竟从什么地方得来的呢？就我个人的观察（诸同志们也一致承认的），就是她和我们每一个工作人员、事务人员一样地在——

“学习，学习，再学习！”一样地在抗日工作中，在战场上，在集体的生活里艰苦地学习着。也就是——

“从实践中学习”着。

举凡所遇着的事物，她总一点不轻易放过，不惮麻烦、不辞劳苦地去思索，去分析，务要找出它的核心，它的根源来。因此习惯了拜访那向来很怕见面的军政长官，了解了从来不大接近的各界人士的心理，娴熟了和群众谈家常，娴熟了站在广场上、舞台上讲话以及徒步涉河，奔越山岭，风、霜、雨、雪的苦头，饥、寒、野餐、露宿的辛酸，更学会了擦一把汗向团员们鼓励着“前进，前进！”和忍着脸上泥沙的咬啮，为全团计划工作。在同志们心情不好的时候，抑制住自己的疲困来说一说笑话，或者忍着自己发痛的嗓子来唱一唱歌曲的事，在起初确乎有些勉强，但如今像出于自然的在做着了。

总之，她学会了为目前时代去贡献，牺牲一切，在她这地位应具备的一切，而且这学习还在不倦地进行着！现在我想记一点关于她的小事。

一 “我得做戏了”

我们住在太原成城中学里的时候，那天正要吃早饭，便来了使人寒栗、沉痛的飞机警报。有的人牺牲了早饭去钻地洞，其余大多数的人也不再在院子里吃，赶快挪到屋里去。

各组的饭菜都打来了，安静地吃着。惟有第三班的人却都楞了眼，但也只得小声低气地，互相问着：

“杨五成呢？”接着就是：

“班长！班长……”

一阵哭声打破了全院的安静。

“是谁在院里哭？该死的！“

“他妈的杨五成这小鬼！”班长看看等这哭着的勤务员给打饭是没有希望了，于是自己到厨房里去。

性急的国权同志，易怒的管理员都在骂了，但立刻又被大家制止住。

“我来吧！”号称“一片婆心”的余建亭同志走出去。但苦苦的说了一大顿，在他回来的时候，那孩子却哭闹得更凶了，简直像他故乡那巫峡的水势。接着是大家公认为“游击战术家”的宣传股长陈明同志，结局也再无计可施的败阵而回。须生派的王股长，丑角的老苏也各各碰了一鼻子灰。仿佛为了讲话才来抗日的黄竹君本来想显显三寸不烂之舌的，谁知反更添加了这孩子的气！

“总司令来也不怕！”

呀，打人啦……

“八路军里谁许打人？看谁敢挨我操他奶奶的……”

机械的轰响已经听见，高射炮、高射机关枪爆成了一串。

空气抽搐着。每个人心里装满了两重脑怒。

——也不知哪位得罪了这个生熟不认，软硬不吃的小硬汉，叫他在院里大闹；真混账！

一只飞机掠过了院子，这孩子却比飞机更横暴的大叫，并“先人”长、“先人”短的大骂。

这时主任旋风一样，带着满脸的暴风雨逼到这小鬼的面前。

“谁打了你，你告诉我，这里是不准打人的，可是准骂人么？还是老红军，二万五千里长征，你懂不懂得纪律，天天教你，做模范，你看，什么样子，服务团名誉叫你破坏了。你参加革命就是这样的么。你要不服从，不守纪律，你不愿工作，也容易，你说呀，你到底还抗日不抗日，说！说！说！”

不知他是在听取之中忘记了冤屈，还是在窘迫之中想不出答话来，因而急得把愤怒倒塞进肚腔里去了，这一阵猝不及防的毕毕剥剥的雹子竟然砸碎了他的蛮悍。只剩了抽咽像断茎、残叶留在他的喉咙里。

“回到自己房里去！不准再闹，等下再说道理。”

孩子在自己门内偷向这第一次大发雷霆的主任回望着，主任已和副主任吴奚如暗暗笑着，问可装得像，因为她出去时，曾说过：“这孩子真是一个蛮家伙，不可理喻，恐怕只好我要做次戏了。”

马上，外面传来了使窗子和灵魂一同震颤的炸弹爆裂声。

二 “登台之前”

这是在马牧村里通讯股的一桩事。

说起通讯股，因为是握笔杆的一伙，而且在团里是所谓“作家”的一些人，所以总有点别致。他们不但在衣帽上，床铺上表露特殊的作风，就是在言论、行动上也老是异乎“常人”。他们的谈话每次都会引起别人们的笑，但要人们哭也不费什么难，批评起本国人物来，听吧！不是夏伯阳、木罗式加[1]，便是乞乞可夫[2]、马留特加。都是别的股里想不出的。可是步伐中响着的怪音，行列中使人最先看着的也往往是这些人。

然而他们发起脾气来，可也够利害。因为他们共同有着雄立于大海上的烈日一般的感情。

这使得他们往往受到一般同志们的诽谤，大会上的批评，但主任对他们是额外客气的，因为主任更晓得这些人有着他们的特长，所以在本团这机器上是不可缺少的一些零件。

事情是在深冬里的一天发生的。

为了到高贡村给总部演戏，因为演过好几次了，没有新排的剧本——于是戈矛、我和袁勃当天赶制了一个“不要再沉醉了！”主题只不过要把以往的文坛讽刺、针砭一下，尽量暴露的能事而已，至于教育、鼓动的功效，严格说来是谈不上的。因为这次的晚会，只不过是

---

[1] 木罗式加，前苏联作家法捷耶夫的长篇小说《毁灭》中的人物。——编者注

[2] 乞乞可夫，俄国作家的长篇小说《死魂灵》的主人公。——编者注

娱乐性质，观众又都是些政治军事干部，所以通信股也要登一次舞台玩玩罢了。

编剧者虽然弄得头昏眼花，但却仍是兴致勃勃讨论着，分配角色。

刚点上蜡烛，余同志打邻村回来了。

他听了这剧词的几句，就说：

“过去审查委员会实在有些儿放弃职责，这次换了我、袁勃、天虚的审查委员了，所以这剧本有没有妨碍统一战线的地方，或者还有其他政治上的问题，那很难说，那么我们还是郑重的，严格的审查一下再上演。”

“我想是那……随便开开心是没有什么的，时间已迫不及待了，后天就要用。”志冯操着河南口音在分辩。

“我想今天的文人不是你们写的这样子了，所以顶好不上演，万一闹出问题来，审查委员会要担负责任的。”

“你看看剧情，不是分明表现着一个转变过程吗？还有什么问题？”我们的感冒先生以嫌恶他过于小心的态度反抗着。

“可是也得审查呀！”

于是演员们的兴头扫地，心情一坏，赌气不演了。

开会的时候，主任看出了劲头有点不对。很和蔼地解释：

“那怎么行呢？一时又没有别的节目。还是演吧！你们袁勃、天虚不都是审查委员会吗？又何必斤斤于审查的形式？”

“不演了！一生气，至少三天不能恢复常态。演戏这不是气闷中干的！”我说。

感冒先生也主张以不演出为是。

余同志再三声明每人劝解，央告；但这几个顽强的人仍不饶恕他，所以还是没有成功。

事情一弄成僵局，主任就带来了起死回生的妙药。

“这个戏，还是演，不过我想了半天，女同志中实在没有能扮这‘交际花’的；”主任沉思了一刹，“我来，您们看怎样？”

大家乐了。既然主任要来，自己也不好再说不演，而且心中实在高兴看看这第一次上台的主任的角色，于是大家拥挤着，跟着主任走上屋顶平台上去试演。

在这晒人欲睡的屋顶上一连排了两次。

下午，距出演只剩了一个钟头的时光，主任又来催我们排戏。

“不是排好了吗？天虚说。

“愈排愈熟。”她指着跟来的李君裁同志：我给您们带来了“交际花”。

大家愣住了。

有的反对这临时拉夫、冒名顶替的办法，理由是来不及弄好的。

“只走一走场就好了。剧词她早已念熟了！”主任说完，做着我们的导演，又排起来。刚一排完就赶快去吃饭；因为我们“出丑卖乖”的关头到了。

演完了回来，在夜色的原野里，主任和我们通讯股的同志一道走，一边批评今天的演出，总是鼓励的多，一边却说，以后应该冷静一点，不要像那样闹别扭，她虽说了解，可是同志们未必了解，总以少点为好。我们一边感到很安慰，一边却也惭愧。

三 “野火的跳舞”

山西的气候虽已到了春天，但仍很冷，不过我们的通讯股的同志们却还是每天晚饭后照例要作野外散步，以恢复一日疲劳。

但这天却出了常轨，因为通讯股又起了事端——

“天虚要走了！”

本来在“天虚要走”之前，因为要开展工作走过两批的工作人员及儿童团警卫班。那二十几个人的走，在团里有些同志们的心中会唤起两种不安的情绪：一是同志的难以割舍，一是“快要调到我了吧？！”的怀疑兼恐怖之念。而现在天虚又要走，他是股长，又是通讯股的。因此那曾有过的恋情便又燃烧起来了。本来也可安静无事的，假若不是天虚因“恋故枝”的心驱使他醉酒，小勤务员的惜别泪落，以及两个进团未久的同志固执着“天虚一走，就要坍台”的意见。

于是工作，部分地停顿了，影响了人心。

于是不少的人到该股去探问底蕴，不了解事情的真相，而坏的影响便扩大了。

黄昏后，主任同着通讯股的同志出了大门。她又叫我回去，多找些人来玩。

我同着劫夫、若兰、金明、吴英、小弟弟——吴坚，小妹妖——王钟，老王爷——塞克，阿Q——正清，……——二十多人从救亡室出来。待我们出了西门，看见主任那一伙已快到那棵横在沟道上边，像一架天桥一般的老松树下了。

不久就赶上了她们。这时有人问：

“到哪里去坐一坐呢？”

“到那坟场子里去！”不知谁在提议。

天真烂漫的小吴坚同尚武齐说：

“好！坐在那石桌上去谈故事好吗？”

主任没答他们的腔，却也并没有真地到“坟场上去”。

不经意地绕了一个弧形的路子，就下了坡。不知是那个同志划了一根火柴，点起田界上的野草。顿时一片火光，在青色的浓烟中直朝上空舔着。

同志们又四处找着枯蒿草茎，投向火中又将火把一把把向各处引燃，火便划开了红的阵线。美丽，鲜明；在薄暮的烟雾里开了朵朵奇花。

“朝这边来呀！”主任站在一堆同心协力造成的特大的一个篝火之前。刚一喊完，电流一般，大家围起了火，扯起手，旋转着，飞映地狂舞，狂呼起来。

声音、精力到了使人惊奇的程度。脸面烧烤的烫热，谁也不想退避；人的面貌给火光映得通明，谁也没看见谁的表情。

人的全身，人们的整体熔化在狂焰之中，熔化到狂热之中，世界不存在了！

若不是余同志郑重地说出：“恐怕给老百姓不好的影响，怕老百姓不喜欢这么闹，……”看样子一世纪也不会停止下来似的。

这时，我觉得余同志的这种举动真是不通人情，一直到回来之后，烤着潮湿的衬衣的时候，我才停止了对他生的气。

第二天在文艺协会的改选会上，塞克问着李君裁：

“你对于昨晚的火觉得怎样？”

“那火就是我的心似的。”

“你呢？”

“我想站在远远的地方，看着那一列黑的影子，一定更美丽。”朱烛回答着。

“那么诗人，画家，都有了。”老王爷像他导演时用作模范的那长串的笑，笑着。

站在背后的老苏用几乎听不出的声音问石宁说:“怎么样？心境好点了吗？”石宁点一点头，接着说:“你看主任对天虚，不比我们更不愿意他走吗？……”

可是主任却发表如何描写文艺作者的意见了，她说昨晚的那一顿跳舞，很可以描写，但不应只在描写其美丽，应注意那心情，像昨天的情形不充分暴露了知识分子的易感性和找刺激，求一时狂欢以忘记他暂时的烦闷吗？若是一个坚强的革命家，那对于一个同志的离开，就会有很好的分析，私人的感情上决不至于这样发泄。

可是昨晚她并不阻止我们，似乎自己也满有兴趣的。

大家的郁积自向野火发泄了一通，显然平静下来了。晚上，来了生活检讨会。

四 剪刀的词句

在狄尼同志正以饱着蜜汁的笔写着她的新婚日记，尹亮也正在设计着怎样才能把这蜜月培养得更肥美，更丰富的日子里。调尹亮出团的消息像一声响雷把这两颗心击碎了。

在局外人看来，这也简直像一种横暴摧残：他们久久为了抗战闹得天南地北，尹亮来团才不过一月，好容易这对情侣于旧历新年结了婚，满足了四五年来的心愿，谁知结婚还不到十天的工夫，那可怕的离别又威胁着他们了。

不去不对，去又不能把狄尼带去。

狄尼在这一夜深深感到世界的惨酷。个人与民族在她胸中交流，翻滚，冲撞，心被绞痛着。

热泪浸湿着爱人的胳膊。一夜过来，人瘦了。

“狄尼脸上的微笑呢？尹亮怎么沉默了？……”不知内幕的同志们窃窃地互问着。知道了的却叹息着：“通讯股的股长简直是走马灯上的人物！”

我们通讯股里，只有用婉言安慰着他们，我们讲《奥德赛》给狄尼听。

为了神圣的抗日工作，为了使统一战线各环都坚固得无有一丝罅隙，主任不得不去催促尹亮赶快就道，但一看见两人的苦脸又不好催得过紧。

隔了两天，不体谅人情的电报又送了来。

“你看，这”，聪明的敏夫同志异常兴奋地指着精致的小本上的字对我们说：“简直是王麻子的剪刀，柔韧的情思这就要断了！”

我们一齐上去看到了印着蓝格、金装皮面的“礼物”。

“什么？谁写的？”

尹同志把皮面掀开，是——

“赠给我的敬爱的尼与亮。”又掀开了后面的皮面，是——

“丁玲，为我一对青年战士的新婚而写。”

敏夫特别念着内里的这一段：

“……狄尼在太原来到本团，温柔纤细，好像不能受半点风霜，然而半年来，我从未见过她蹙额，整天愉快地工作着。当行军时，她总是无声的向前走去，从未落伍，处人接物，非常和气，后来担任了秘书，和我住在一道，生活更密切了，因此也更了解尼是一个坚强的女性。

尼你是一个可爱可敬的孩子，愿你永远健康，为我们数千年过着非人的生活的女界争光，为四万万五千万同胞的生存而奋斗！……”

“怎么样，老尹——情丝果被斩断了吗？”

“狄尼看了这些话，确乎好些了。”

但我很奇怪：近来被那太过繁琐、吃重的工作纠缠着的主任把许多索稿的朋友都不得不谢绝了，何以为这俩同志写这么长长的一篇文字呢？

事情真出乎我的意料之外，狄尼自昨夜读了这篇文章，再也不哼着娇柔的哭闹坚执她那“在那里不是一样工作？”再也不推开尹亮的手臂，凸突着嘴说那“好！你去吧！你去了，立刻日本帝国主义就灭亡了”！

这是尹亮亲自对我讲的。

在我们离开临汾的前一天，的确，狄尼很高兴地把尹亮送上车站。

而我们合唱着《送郎上前线》的小调，跟在他们后面送了一程。

前面说过丁玲同志在不断的学着，我觉得她的确把过去写小说的天才如今完全献给眼前的工作了。她把观察力、透视力完全应用到团里来了，她想使她领导着的团成为一件艺术品，一件天衣无缝的艺术品。她了解我们每一个人的个性，知道对待某一个人用某一种方法。有好几次她向我们说：“将来我把服务团写成一本长篇小说，把每个人物刻画出来……”我看，按她平日的待人来看，她一定有充分把握写得活现，写得动人的。

不过要知道这种用心是苦的。这种做法也特别费心血。制作这么一个活的艺术品是比一切时间的空间的、平常所谓艺术品者更其困难百倍、千倍的。那么，她为什么这么耐心地做着并且要做下去呢？一句话：“抗日高于一切！”她对这一口号比别人更了解得透彻，更认识得清楚。因为别人只不过做到在信仰上，把这个口号施用。她却更进一步把这口号推广到生活上、工作中、思想里……即“一切”之中了。

所以，西北战地服务团才铁轮一般不息地，急急地旋进着。

五，一；西安

西北战地服务团的民先

在　臣

民先是一个广泛的有着广大群众基础的救亡组织。民先队员存在在全国的每个角落，每个救亡团体，推动并巩固着这里的团体，在这次伟大的神圣的战争当中，民先队员的英勇战斗的精神，在抗日的总的国策之下，起了绝大的作用。

在西北战地服务团，同样，民先队员也起了绝大的作用。

比如，保证了服务团在行政计划上的完成呀，纪律的完整呀，通通是民先队员首先站起来执行的，尤其在感到困难的时候，民先队员总是以他无比的精神走出来。在冀村之夜，那是服务团感受到虽不是敌人，但也有可能被歼灭的危险的一夜。假使解决不得当，没有苏同志的勇敢的话，那么只消三五个手榴弹，便会弄得一塌糊涂的。因为那是刚从前线退下来的全副武装的一连不守纪律的兵士啊！

同时，民先队员巩固了服务团，使得服务团的内部生活上，显得十分紧张、活泼，实现了服务团所担负的伟大的使命——宣传鼓动的任务。

本来，在一个像西北战地服务团这样的工作团体中，本是民先队员的当然任务，但是西北战地服务团的民先却又肩负了一更重大的任务——教育全团的任务。计划推动全团的学习工作，因为只有在不断的学习中，服务团的工作才能有更大的开展，这是民先在服务团的一个特殊任务。

于是民先在这方面不得不花费了相当的工夫。他们不仅经常计划着工作人员的教育的问题，同时计划着勤务人员的教育的问题，从政治文化上提高，从生活检讨，学习讨论中加强。现在，西北战地服务团的勤务员，也可以写出相当满人意的诗来，在西安时，曾博得一些人的好评。

在工作中，民先的同志转变了已往呆板的念书的方式，灵活的使用了各种各样的花样提起了大家的学习兴趣，比如小组讨论会呀，辩论会呀，演讲会呀，政治经济研究组呀，哲学座谈会呀。为了提高民先队员的学习工作的效率，分队部负责同志曾花了一批队费，做了十数枚美丽的红色的荣誉章，号召全团民先队员的突击运动，这次方式的运用，获得了相当的成功。

一年中，服务团曾博得全国的同情与爱戴，曾博得广大群众的拥护与赞助；一年中，服务团在工作中健全了起来，壮大了起来。自然，这是服务团的工作成绩，也是民先队员的光荣。

因为服务团的民先队员占全团百分之八十的呀！

民先在战地服务团
——简记受奖大会

丁　玲

七点钟还不到，人都集合到救亡室里，在闪烁的煤气灯光下，看得见每人都有不平常的笑。新的美丽的标语在墙的四周。“参加突击运动！”“学习周苏二同志的工作作风”、“中华民族解放先锋队万岁！”这些标语也闪着不平常的笑容。今天是隆重的受奖大会，战地服务团民先的受奖大会，那辉煌的红色的荣誉章啊！

两个月前分队便颁布了荣誉章的条例，要工作、学习、生活三方面都没有缺点，要能持久，还要能帮助人。两个月后，从小组里提出了名单讨论，结果是周巍峙、苏星知两位得奖了。多么不容易的事，同时也是多荣耀的啊！

服务团分队的全体民先队员都到了，外来的客人有我，有华北队部的代表，有非民先队员的几个团员。热烈的唱了民先队歌，主席宣布开会了。

比平日都似乎爱说话些，不喜欢说话的政治干事长篇地报告了开会意义，华北队部的代表大大地赞扬了一番，尤以荣誉奖章为全国民先创举，证明战地服务团民先工作之活泼……大家都忘记了什么似的，兴奋的说了许多勉励周、苏以及全体队员的话。竞赛似的语言，有慷慨激昂的，有谈笑风生的，但那两个受奖的倒有些拘束的坐在一个角落上，原因是大半人的视线总是朝一个地方射去，直到请他们发言时，才站了起来！

“得了这枚小小的奖章，更要难受了”，周巍峙同志说着：“因为时时更会想到肩上的责任更其重大，应该如何努力才不致有愧，才不致被褫夺，我愿意终身佩戴着它。”苏星知也说了一段，说完了话，便是给奖。当给奖的时候，陈正清同志又特别照了几张相，因为镁光器不灵，惹得大家都笑了。

全体又唱了战地服务团的进行曲，才把这一个空前的热烈的民先受奖大会结束了。

我们等着第二届革命竞赛的结果，那将是更隆重的盛会，因为又将在这一段时日中创作出许多更有味的东西。

我们的战地社

李劫夫

战地社是西北战地服务团的几个爱好文艺的同志发起组织的。它并不是一个怎样富丽辉煌的文艺团体，原是想在文艺运动上做些脚踏实地的工作。在开始组织成立的时候，就是一个综合艺术的各部门的，除了文学以外还有美术音乐等，但因为我们人力物力的不够，只做了一些文学的工作。

在西安时，我们看到了西安文艺运动的消沉，我们曾在那里编了一个《西北文艺》，这在当时的西安是唯一的文艺的刊物。这小小的刊物的产生曾引起了西安很多青年们的爱好，相当的推动了西安的文艺运动，除此它还帮助战地服务团做了一些宣传工作。

我们到延安后，马上就会同了文协战歌社发起了街头诗运动。这一运动不但在边区是第一次，即在全国说来也是创举。这次街头诗运动证明了我们的新诗歌是可以深入到群众中去的，并且它还受着广大的群众的欢迎。后来这些街头诗被带到前方去，据贺龙师长的报告，街头诗在山西前线上，同样也是受着广大群众的爱好。

最近我们出了一个《诗建设》的一个小型诗刊，又在开始实际去做诗词朗诵运动了，我们相信会得到相当的效果的。

现在我们把我们的战地社又重新改组了，把它成为纯文艺性质的了。我们一定要在文艺的大众化上做些实验，并且现在我们决定吸收团外的爱好文艺的同志们加入，将来到别处去，还要在那里建立分社。

我们号召：

文艺要大众化，中国化。

把文艺作品送到大众中去。

供给前方战士后方民众的精神食粮。

文艺作家到战场上去！

一九三八，十，八日。

战地社

田　间

在西北角：
有一个
“战地社！”

从这里，
到那里
它没有呢，
挂过
招牌；
打起
大旗；
只是像一架独轮车，

滚来滚去呀，
发出一些
　粗暴的声音，
在大风砂里，
透着——
来自几个灵魂的
服务的气味！
战地社，
今天，
在乡下呵，
到明天啦，
要搬到我们的
大都会去。……

把《西北文艺》，
把《诗建设》，
都搬去！

以上，是我描写关于战地社的大概的诗。听说自战地社跟着服务团搬到延安以后，抗日军政大学第四大队有一名同学写了篇文章交给战地社。内容大概是说它好，说它来了，延安的文艺工作也活动了，说它展开了街头诗运动，说它提起了一些作者的勇气，说它……。不知道说到它或许还有什么罪过没有，因为我到底也没有晓得仔细，决不是因为我是一个战地社的同志而隐住了；战地社里还没有这样的不肯接受批评的人。

“它”是在西安开始成立的，也就是服务团内的文艺研究会改名的。它的名字叫战地社并不意味汉口方面有些人印行了《战地报告丛刊》，或者是出版了《战地》就故意混称的，老实说，它是因构成者战地社的同人，都大半是在服务团工作，或工作过的，同时它是要跟起服务团经常流动经常搬家的，服务团搬到哪里，战地社搬到哪里。它的同人，现在是十几个。里面除了我们人所共知的著名女作家丁玲同志以外，还有一些漫画木刻音乐诗歌方面的工作者，虽然小小麻雀，也五脏俱全呵！

因为战地社是一个穷困的文艺团体，它缺乏大批经费自己来发行伟大的杂志。于是，在西安的时候就找到了《国风日报》，在那报角上刊行了我们的机关志——《西北文艺》。这就是我们现在拿油墨印的油印的东西，这就是我们现在附属在西北战地服务团的机关报《战地》上的副刊。除了《西北文艺》，到延安来，我们又发刊《诗建设》。这又是一个油印的诗刊。《诗建设》呢，是站在号召诗歌运动的立场上坚决发行的，特别是它在街头诗和朗诵诗这些方面要尽最大的努力做下去。……

今天在延安，我们要这样做，明天我们到其他处所，它一定要这样做。因为它和服务团一样，都要做民众的好同志，都要做抗战的好同志。我们号召，文艺大众化中国化，把文艺送到大众中间去，供给前方战士和后方民众的精神食粮，以及文艺作家到战场去。……于是，战地社自己还要和国内外的文化友人联系，还要到处建立分社，使它在工作和流浪之中成长起来。它虽然没有挂过招牌，打起大旗，然而以后，它就非挂起招牌，打起大旗不可了。

现在有许多人把目光牵到战地社上面来了，为什么呢？那是因为战地社它和战歌社在延安主持街头诗的运动以及诗传单、诗信、各样的运动，……而且这个实验，也得到相当成功的。例如贺龙师长从前方回来，他提到街头诗在山西前线很受一般民众的欢迎，这就是战地社的工作之一的第一个回声。而它又带给我们更多的勇敢和更多的大胆！

向前去呀，西北战地服务团！

向前去呀，战地社！

我们一定要民众懂得战地社，我们一定要民众聚合战地社周围，来听我们唱歌，来听我们朗诵诗，来看我们展览木刻和漫画；……同时，希望他们能够带回去！

我们号召：——

文艺大众化！中国化！

把文艺作品送到大众中去！

供给前方战士和后方民众的精神食粮！

文艺作家到战场上去！

母亲，孩子们回来了！[1]

史　轮

“不能战胜日本帝国主义，我们就……不回来了！”——这是我们的主任、丁玲同志在这一群刚刚出离摇篮的孩子们撒开母亲的衣襟，执起西北战地服务团的大旗，试验着到战地去时的豪语，也可说是誓词。

然而，为什么在今天，在血爪正要攀抓大武汉的今天，竟然回到母亲的温暖的怀里来呢？这一群孩子们疲倦了吗？烦闷了吗？临阵脱逃吗？患了怀乡病吗？想使百忙的母亲把抗战的工作休息下来，为自己做个生日吗？……

不！统通不是。

[1] 本团在山西离开朱总司令时，总司令说：“我们不是你们的母亲，你们的母亲是延安。”

是的，他们出去了快一年啦。他们踏过了数不清的山峦，涉过了记不清的河川；在太原、榆次、西安的毫无救助的天空里冒过敌机轰炸的危险；在冀村度过了恐怖的、艰险的暗夜；在沁源赤着脚、背着行李、赶着牲口翻过风绞雪的、窒息的高岭；在仪城镇为把害怕军队的百姓换回家来替村民打过豆子；在西安为扩大抗日宣传到十几里的乡下去替农民割麦。……

他们饱餐了饥寒渴热的痛苦，他们体味了酸辛炎凉的世味。但这群风霜漂泊、出入炮烟的孩子们，为了他们底祖国，为了自己的生命，为了全世界和平的人们，一星儿不觉得疲倦，也不觉得烦闷，同时也正是为了母亲的严命而不敢只是想他们的母亲和家乡。其实在生命一般的工作中，在“一家人”[1]的集体生活中，在热烈的学习中——这都是从母亲学来的，也早把家乡忘记了。因为母亲的精神，母亲的血泉，无时无地不贯串着、冲击着他们的脑髓和心脏。

他们过得飞快。他们在学习中和年龄一样，虽然尺寸不等，但每个人都有了惊人的进步。他们学会了在防

[1] 离西安时，西安国民党省党部的一位科长这样地说我们。

空洞里开会，他们学会了在炕上伏爬着写文章，他们学会了在街头像卖唱者似的说书、唱歌，他们学会了忍着病痛登台，他们学会了抑住自己的困倦和烦闷而替别人解除忧愁和烦恼的根源。他们更学会了脚夫、驭者、教员、布道者、记者、勤务员、炊事员、饲养员、交际家、裁缝等等“万能的”[1]本领以及和敌人，和汉奸、托匪战斗的理论和战术。

然而，随着他们工作的开展和深入，随着抗战的更加进步，客观环境向他们提出了更加艰难，更加复杂的课题。于是他们深深感觉到自己肩上那担子的沉重，深深感觉到自己力量的薄弱。因此他们深深感觉到有了向母亲“再学习”的迫切的需要。因此这才决然重返延水和清凉山拱围着的母亲的脚下来。

母亲！快把肥美的乳液乘着短短相见的机会哺育这些孩子们！他们为了使所有的兄弟、姐妹都和他们一样跑上民族自卫的战场，都能在中华的土地上永久地自由呼吸，自由歌唱，都长成健美的人在幸福里活下去，

[1] 这是在各地得到的评语，此次离西安时，妇女分会的代表更连连地这么说我们。

不久，他们仍要离开你的慈和的眼睛的。

不久，他们仍到战地去！

——七月末。

战地服务团出发前应有之注意

丁　玲

战地服务团已经决定不久重赴前线，到冀察晋边区去，因为地带与时间的不同，战地服务团必然要将它的任务扩大，就是从事的工作范围更多。譬如过去以本身的流动性太大，加以那时山西统一战线初步实行，摩擦尚多，所以只能规定为一完全宣传性质之团体；主要任务是扩大影响，巩固统一战线，如在可能环境内始帮助地方做部分组织工作。到西安后，以客观之要求，才做了一些组织训练工作，多半也仅限于学生及少数救亡团体。现在既因所走之处已经是统一战线之模范区，故可计划的、具体的帮助其他之文化建设，如开训练班，组织剧团、歌咏团，不特要为本身留下一个继承者，还要作为他们的咨询者，及干部材料之供给者。若能切实的，巡回的坚苦工作之后，边区的文化将因战地服务团而有大的新气象。所以这不特于抗战有益，反于将来之文化艺术亦有不小的功绩。现在离出发期只有月余，而在这短短的时间中，应该有很好的准备。这些准备工作都是针对着将来的工作方向的，使在这时能打一个好好的基础。我现将我想到之处，简略的举出一二，以供同志们之参考。

加强政治教育：服务团内有些同志是有着颇高的理论基础，但不是人人如此，也还不是每个同志都能独立开展工作。也有些同志理论书籍读的不少，但在实际上也还不能很灵活的运用。所以在这一时期应加强政治教育，养成学习的习惯，总的了解分析问题处理问题的方法，使有机会时，便可负责放胆做去。于是更证明战地服务团的团员，不仅是一个技术人材，并且还能领导一般工作。

培养专门人材：人材就是资本，战地服务团一年工作之经验已经有了不少人材，和发现了有天才的青年艺术家，但还是不够，有聪明，没有修养，不懂方法；或则样样都会，但不精。如李劫夫同志他能画，能写，能演，能制曲唱歌，能弹各种乐器，这样的人材本是服务团所需要的，不过我们却应该帮助他，使他更专门，擅长一项更好。再如过去导演没有专门人材，于是大众集体来作，集体导演，这也本是对的，不过却应该分工，使某几个专在写作的方面研究，某几个专在导演的方面研究，这样才可以加以深造。服务团如要对于将来之庞大工作，较能胜任，此点应宜注意。

今后工作途径：过去战地服务团在工作上决定力求大众化，并且实践了这一口号，所以成为拥有形式最丰富的团体。如果仅仅只限于使用旧形式，而不加研究，改造，那这些形式永远陷于旧的阶段。我们不特要放进新的内容，而且要逐渐改变它的形式，使更适合于新的内容，更接近于近代艺术。就是以戏剧而论，也是如此。在抗战中的戏剧发展，必定是在街头在广场，而不是在舞台上，更为受了时间地点物质的条件的限制，所以应该研究在街头演剧之创制问题，和经常的演出，而将这些经验，连服装道具、化装等问题都提供出来，供大家之参考。抗战已经一年了，各地都有这样的感觉，新的尝试，新的经验交换的太少，其他如音乐绘画也莫不如此。除此以外，则须在取材上都注重教育，而不仅限于宣传鼓动。更多编制技术上之课本，供初学者研究。

上前线去跋涉是不困难的，只要天天走；但从事工作的创造，是不容易的。服务团应该在抗战中，在一切服务团工作中起绝大作用，是不容易退让的，所以让我们互相勉励努力来完成它吧。

附　录

西北战地服务团出外十月来之工作报告

第一部分　工作记录

A 山西部分

（1）时间：在山西逗留时间，共六个月，自十月渡河日起至三月渡河止。

（2）路线：由平渡关渡河，经大宁、隰县、蒲县、临汾、太原、榆次、太谷、和顺、榆社、武乡、沁县、沁源、安泽、洪洞、赵城、运城等是十六县，及大小村庄六十余个，辗转三千余里。

（3）出演：（a）次数：共一百一十三次，其余的街头讲演说书等，不算在内。

（b）形式：包括演讲、话剧、歌剧、京剧、歌咏、大鼓、说书、数板、双簧、四簧、相声、双拾金、儿童跳舞、中国农民之土风舞、合作等。

（c）内容：有反汉奸、参加抗日军、日本的残暴情形、组织游击队、拥护国共两党合作、巩固统一战线、发扬国民革命军的抗战精神、民众协助军队、有钱的出钱、拥护政府、拥护抗战建国纲领、保卫西北。……

（d）观众：数目二十万左右，以农民为最多，兵士次之，其他包括工人、小市民、学生。……

（4）标语漫画：约一千二百余条标语，漫画约六十余幅，另有二十余条标语、三幅画是留给日本人的，这些画到现在仍布满在山西境内的墙上。

（5）教歌：每到一处，即召集各式人或赴各学校团体教歌，教会的歌曲三十余个，直接教会的学生三十余万人，大部分为军人及学生，凡走过之处，无不风行。

（6）通讯：发稿共七十余篇。

（a）内容：

（一）军事方面的有关于十四集团军、四十一军、四十五军、第三军、二十六路、第八路军、决死队、游击队、自卫队。

（二）社会的调查，各群众团体如何实施优待抗日军人家属、有钱出钱、群众运动的实况，及反汉奸活捉张慕陶等。

（b）发表地点：《新华日报》、《群众》、《七月》、《战斗》、《西安文化日报》，及长沙、香港、广西、河南之各大报纸。

（c）采访地点：除大队走过之处及附近村庄，特派人至五台、忻口等处。

（7）创作：（a）剧本二十四个。

（b）歌曲三十余。

（c）杂耍三十余。

（8）出版：（a）壁报：街头壁报二十余期，每期多至二千份，少至十余份，读者对象有士兵、小市民、工、农。

（b）《战地报》三期：每期约二千余字，共三期。

B 西安部分

（1）时间：四个半月。

（2）地点：潼关西安。

（3）出演：（a）舞台公演三次，二十五场，观众二万九千五百人。

（b）招待公演及参加公演四十一次，观众共六万二千八百五十人。

（c）观众成分：兵士、伤兵、小学生、儿童、学生、妇女工人、小市民。

（d）特点：第一次公演是最现实的、反映了山西老百姓自动起来抗战的情形《突击》，因此得到了很高的评价。第二次的公演，介绍了许多种类新内容之旧形式，极受各方之欢迎。第三次为号召西安旧剧界之参加抗战宣传工作，指出旧剧之出路，赶排了秦腔京剧故得到空前之荣誉。

（e）参加其他团体联合公演两次，一为留陕剧人协会，一为抗敌后援会之游艺会公演。

（4）演讲：十九次。

（5）教歌：教会歌子约五十余，教歌地点有三十个。六个歌咏队，九个学校，十五个团体，包括军队在内。

（6）排戏：七个团体。

（7）标语漫画：街头标语，一百四十余条，室内二百八十余条，布上大幅标语二十一条。漫画，街头十二幅，布上大幅八张，连环图画二十余幅，铅印了二千张。

（8）广播三天：大鼓、快板、歌曲。

（9）通讯：（a）采访地点：西安、咸阳、延安。

（b）发稿三十三篇，有三篇长稿。

（c）发表地点：《群众》、《战斗》、《团结》、《新华日报》、《青年战线》、《妇女生活》、生活书店。

（10）编刊：编有：

（a）战地丛书已交稿十一本，在编辑中六本。

（b）公演特刊三期。

（c）《西北文艺》十五期。内容包括歌咏、杂耍、诗、剧本、通讯、生活实录。

（11）座谈会：全为联系各救亡团体，交换工作经验，讨论如何开展工作等之座谈会共十八次。

（12）参加会议：参加各救亡团体之经常会议四十余次，参加全西安市的大会四次。

第二部分　工作上之优点及缺点

A 优点

（1）大众化：战地服务团当成立时，即认为在抗战期中之一切宣传均须深入群众；欲深入群众，则非一切方式都极力求其接近大众不可。故在服务团中之工作方式与宣传形式都能使大众发生好感。如戏剧我们除少数之煽情短剧和街头剧外，大都采取旧形式，相声、《拾黄金》、《打城隍》等，这些都是平日在民间最受欢迎的形式。我们利用它，放进许多最新的东西进去，一方面可以教育他们，使他们能懂得一些抗日理论，更可提起兴趣。在太原对伤兵宣传时，演讲使他们厌烦，唱救亡歌曲也提不起他们兴趣，但一个双簧，两段京戏（因伤兵多河北人），他们才高兴起来，要求我们再来一个，那天晚上在月亮底下，我们演讲了很久以后，也不讨厌我们的演讲。于是第二天我们又去演戏，两个医院里的轻伤者一千多人都到了。在太谷上演第一个节目《王老爷》时，观众走了很多，说没意思，但后来相声一出台，观众又都来了，说这还有味，津津的向旁座解释其内容，并且很快就会为他们所采用，因为只要有脚本，他们就会演唱的。也如小调之类的东西，在一年中我们小调的产生的确不少，我们到一处，编一处，教一处，无论山西陕西这些小调都非常流行了。除了这些使用做可宣传的形式大众化以外，在文字上，力求其合乎大众的兴趣，多用口头俗语，如《九一八》小调内之“要不报仇雪耻，那真混账哟哟哟哟哟，敌人若不滚蛋，要他的头哟哟哟哟”。再如：“拿一把青龙大刀显威风，活活像关公。”题材也是捡着最近发生的故事，和在乡村中常有的一些事情，如《老百姓偷抢》、《老婆子苦》、《我们要做个游击队》、《加入抗日军》等。接近群众的方式，也是很活泼的，在一个小村头上二胡拉着，八个同志哼了起来，一个两个人来了，递一枝烟给他，同他谈谈年成，谈谈家事，于是人多了起来，我们再唱一些，他们也会唱几个给我们听，如是我们像一家人了。到一处，即有无数的好朋友卖东西给我们比较便宜，上馆子不要我们的钱，过年过节，有人送许多东西来吃；每一离开一处，即依依不舍，因为我们总是常常帮他们的忙，而且娱乐着教育着他们的。

（2）适应环境：工作方式和宣传内容均随着环境而变更，当我们到十四集团军时，我们演《忻口之战》；到八路军即唱《大战平型关》；观众多兵士，则演《八百壮士》；多伤兵，则演《再上前线》；多农民则演《顺民》；多小商人即演《王老爷》。在山西因为有牺盟会，公道团等，都能够极力帮助，所以每到一处就可直接做些宣传工作，并帮助他们做组织工作。然到西安后，就较麻烦多了，西安是个多摩擦之区，我们便采用了橡皮糖似的外交，不同当局走极端，然而决不放弃工作。工作也是游击战术，而且也能因客观之要求，转换工作之重心。比如在山西多走乡村，又因流动，故多宣传。而在西安却为一般工作团、救亡团体来要求领导了，所以我们立即转变成教育干部，推动抗战运动，帮助组织许多宣传团体，将一些经验告诉他们的工作了。

（3）抓紧机会：我们对于工作，决不是等待的，总是去找机会，不放松机会，因此也可养成工作上的积极性。

（4）创造性：工作上总要有些新的花头出现，如在墙头写歌片，歌片之侧加上漫画，俟有许多观者时，即教他唱歌。战地服务团原来并无此专家，但慢慢成为一个拥有形式最丰富的集团。

（5）方式活泼：工作方式不特大众化，尤其在运用活泼，常常能在群众反映里，改变原来方式。如在万安镇过年时，本来计划是公演，但一到元旦早上，便改为挨家挨户去拜年了。举了红纸的大牌，化了装，在街上舞蹈。因为元旦日乡下人都不出来的，接着我们便教乡下人跳舞，因为在正月十五以前，他们都只是玩乐的。但当群众情感被我们鼓动了时，我们立刻便组织他们示威游行，开大会。即如在公演的时候，无论观众如何多，如何不懂次序，我们也总是用很多有趣的方法使之安静，并且至少还要教会两只歌。

（6）迅速：工作总是突击式的。几次在西安的公演尤可证明。第一次公演《突击》，连写剧本在内，只有两星期，而在两星期之中，每天都要分批赴各团体的欢迎会，参加晚会的节目。最麻烦的还要制布景，印各种印刷品，办理手续，全团人员不过三十人而已。第三次公演之秦腔京剧，也是在两个星期之中临时赶来的，并且还得到很多好评。平日也是这样。常常有些团体，晚上娱乐的晚会没办法了，临时跑来通知，请我们去支持。于是我们便出发，甚至连舞台都须临时来搭，但出演决不误时，使人惊讶是看来我们并不怎样着急的样子。每次公演完毕后，甚至连观众都还没有到家，我们已背着舞台上的一切布景回到家里休息了。不要十分钟，包把台上弄得整整齐齐，比原来还要干净。

（7）分工负责：工作能够迅速的完成，次序能够弄得好，都是因为分工的适当。战地服务团无论什么工作都是集体的，似乎每个人都是很重要的，少了一个人，就是机器上少了一个螺丝钉，因此每个人都有事做，而且因为同别人有关连，便不得不互相推动。同时因为分了工，便有人员负责，工作上不相冲突，如有错误，责任分明，无可旁贷。这的确是很大的原因。

B 缺点

（1）国际宣传做得不够。我们招待了好几次国际的朋友，也供给过他们一些材料。他们都在我们这里得过一些好的印象。国际考察团到山西万安镇去参观我们时，我们足足有五个钟头没有让他们休息过，总是有新的花样给他们瞧，总是使他们惊讶得不能闭口，临了他们回去时，一路在马上唱着一路喊："太奇怪了，太好了！"在西安看了我们的《突击》的外国朋友，也惊异的说是他在中国从未看到的好剧。但我们却未能多发些稿件到外国去，固然因为外国文不好是一个原因，但有些外国报纸都是有翻译的，我们应该多寄一些反映中国抗战情形的东西，暴露日本之凶暴无人性。

（2）本身宣传工作缺乏。在许多发稿中，很少有关于本团生活上、工作上的。我们应该经常将我们的一些工作方式，训练方法，如何巩固队伍，如何克服困难的经验告诉别人。我们不特以工作本身直接的影响教育与我们邻近的人，并且不忘掉一些较远的群众。

（3）与各救亡团体联系不深。固然因为我们是一个流动的团体，而且在西安的一个时期是比较好，但不深切，所以有些地方就不能切实给人以帮助。有些开始很好，慢慢因为忙，关系又淡了，又隔膜起来了。有些团体是我们去找的，但大多数还是别人来找我们的，我们也曾提高了对这工作的注意，但结果仍不很好。

（4）与当局所号召的倡导的工作配合不够。这些工作我们是特别注意过的，因为我们所走过的地方，都是须要把统一战线的工作做好，尤其以多摩擦的西安为不易。故在西安时，凡省党部、抗敌后援会等所倡导之救亡工作，几乎很少没有我们参加。当他们排斥我们时，我们总去找他们领导，找他们分配。但严格的说起来，我们仍有一些疏漏之处，如献金运动，我们便因忙于公演而没有参加。

（5）有时未抓紧时间性与地方性。台儿庄胜利消息传来时，我们立刻便反映了，徐州失守也是一样，大体都还能赶得及。但有时还嫌稍慢，如保卫大武汉等。尤以西安时关于西北问题的材料太少。

（6）经常工作与突击工作的处理不十分好。每次突击工作来时，经常工作便放弃了，尤以对事务人员的教育为最显著。

（7）有些地方没有最好的运用民主。

（a）疏忽了民主的形式：这个表现在：一，有些工作已经做了，却疏忽了传达。二，有一些是下边提出的意见，已经采纳了，也忘记报告。三，不被采纳的意见，有时解释得不够。

（b）有时候民主而不集中。这是因为不了解民主而成的，所以常常显得民主太多。甚至有些负责的同志，对个别的几人都不敢下命令，原因是他不执行上级的命令。已经为大多数所赞成的意见，他仍要固执不改。有些同志还以为一切工作的分配和决定都须经过大会；相反的又有些同志自由的进行工作，并不向上级报告，以为不必要。

（8）自由主义的倾向没有完全克服。这一口号几乎没有一天没有提到的，小组会、大会、壁报，都是说要同自由主义做斗争，但是仍残留着许多恶点。但幸好只是一些个别的短时的现象，这些表现在：

一、个别的同志为了某一点小小的事便影响工作，消极怠工，使人无法推动，总的工作受了影响。

二、有些在会议上一套一套的，似乎很有办法，也会批评人，但他自己却什么也不做，或者只做了面子事。

三、也有这样的同志，似乎意见很多，但不向组织提出，任意乱说，不负责任。

四、行政会议和生活检讨会不能按期召开。

五、生活散漫，不守纪律，起居请假都不守时间，又好起无原则之论争。

六、责任心少，凡事马马虎虎，敷衍了事。

七、独善其身，有的只管自己范围内的工作，把自己的一份做好，不被批评，就认为满足。这是为工作而工作的态度，别人的事，不帮忙做，也不说，以免得罪人。第二种是只顾自己学习，最好少管闲事，多读书。成天拿起一本《列宁主义概论》，或《唯物论》，但他从不帮助别人读书，凡事只要自己知道，莫好了别人。明明知道有些同志政治文化水准都较低，或者新同志刚来须要老同志时时同他说说的，一切都不管。

八、不严格批评与纠正不正确的意见。这虽说比前一种已经好些了，但却不肯太直说。弯弯转转说一点，看看情势太难了，便又停止了斗争，或概括的说一点，这种对事情的正确方面的拥护不顽强也是不好的。

第三部分　我们的工作作风

我们工作上还保留着那么多的缺点，我们不能不认为是遗憾的事。如果将那些缺点扩大起来，甚至不设法随时纠正，那战地服务团不特不能完成它的任务，甚至自己本身也要崩溃下去。然而在这一年之中，我们却做了这么多的工作，这主要的原因，是因为我们有正确的领导，和传染到共产党的优良作风，这些作风是什么呢？

（1）克苦耐劳。战地服务团的成分，虽说全是些青年学生，但其克苦的精神是少见的。在山西时，我们有时连小米也没有吃，就吃南瓜。我们不特同军队一样行军，每天八十里或七十里，而且一到宿营地还须做各种宣传工作。有时到的已经很晚了，但仍答应老百姓的要求，公演到十二点才睡觉，可是第二天六点又得出发。在武乡一带时，天落大雪，我们还没有一件大衣，鞋袜都没有了，好几个月我的鞋子是一双两个样子，但仍不停止工作。

（2）勇敢。无论在如何危险的境地，都不胆怯和气馁，总是设法进行工作。当我们在榆次时，日本飞机每天清早八时就来城轰炸，二十余只飞机你去我来的低低的就在头上飞旋，老百姓都大半下乡去了。于是我们就分队下乡宣传，我们出发的采访记者仍冒险到车站去，晚间我们便到工人住处去宣传，工人要在清晨才有空，我们便又在五点钟时为他们公演，并同他们开会。在太古和顺时，与溃兵常在一处，常常以一二人去向他们宣传。

日本兵快到临汾时，民众已开始迁移，我们始离临汾到运城。这时运城的人心惶惶，我们还出发宣传，直至最后一趟火车才走。

（3）亲爱团结。因为战地服务团有一个良好的集体生活，所以团中充满了一种快乐祥和之气，相亲相爱，在生活上在工作上都互相帮助。好多团员们离团很久了，都不断的来信，殷殷眷问；有些从外归来的，就说如同回到家中一样。出外工作的，一听到团内的歌声，便感到格外的高兴。外边的人总羡慕我们的生活，陕西省省党部宣传科去演说时，亦深赞我们之亲爱如同一家人之精神。但我们之如此团结，乃是因为政治的团结，目标一样，且又互相勉励。所以纵有时吵嘴，意见上有些争执时，只要工作一来，便什么都放下了。战地服务团内也有个别团员发生纠纷，有过成见，却从无人在工作上表示不团结，把成见表现在工作上去。

（4）谦虚诚恳坦白。在工作上，在处人接物上，都是如此。所以无论在何处，都能得群众欢喜。在西安极其复杂的环境之下，能开展工作也是由于最大的诚恳所致。

（5）积极。工作忙迫时，总能很快的完成，积极也是这里经常提得很高的，也是成为这里的精神之一种。

（6）不忘学习。工作完全靠了不断的进步来的，所以就要在工作中加强自己的技能。战地服务团同志们有机会中便研究着技术上的精炼。战地社常常计划着这些座谈会。服务团还有学术讨论会，是讨论一切抗日理论、社会科学等问题的，仿讨论提论提纲，举行演讲竞赛辩论，测验等。民先在服务团规定读书时间，检查读书，学习精神一贯都非常浓厚。

（7）坚强忍耐。在工作上我们坚强忍耐地克服了一切困难。如省党部的故意为难，我们为了争取工作，不要名义，不顾自我宣传，尽量忍耐着与他们周旋，去做一些实际的很有意义的工作。在人事上我们亦是如此，有人说："只有你们才能这样做。"这一年来，在山西，我们很多时间是在溃兵中工作；在西安我们完全以一个被人认为八路军的政治工作团体的面目出现，虽然我们仍然说是群众团体，去做统一战线工作，我们是在这里学会了忍耐与战斗地运用了的。

第四部分　工作上之效果（结论）

（1）扩大并推进了抗战宣传。战地服务团在组织时，即以宣传为中心工作，以对士兵、工农、学生、一般市民做直接宣传，巩固抗战部队，增强作战能力，发动人民参加抗战，并以文字反映战地生活，激励后方民众并争取国际同情，保障抗战胜利为己任，但亦在可能范围内帮助或独立作一些组织训练工作。故在一年之中，影响所及，已不止于路过之处，如山西全省几乎无处不唱着我们的歌曲，山西长安一带之县份，也同此情况。尤以各军因感于战地服务之重要，类似之团体如雨后春笋，一天比一天加多了。在山西的十四集团军的工作团、决死队的工作团、游击队的工作团、八路军特务团的剧社，以及六十六师的政训处宣传科，都有我们的同志去参加工作。更有东战场的、云南的、长沙的、西安的、第一军的这些我们的姊妹团体，也经常与我们通信，交换工作经验，交换宣传材料。而且因为各方面对我们的印象都还好的原故，能够给我们一些机会帮助他们部分工作，如八十三师之宣传队决死队之工作团、平津演剧队及其他一些下乡宣传队等。而还有许多军队之政治工作负责者，都不耻下问的详细探询应如何组织服务团之类的团体和采纳一些意见。或者即刻便产生了新的团体，或由我们调同志过去帮助了这个工作。故我们承认一年来在全面抗战之宣传上是扩大并推进了的。

（2）巩固了统一战线。服务团是成立在延安的，组成的分子，大半都是抗大学生；又为了战地工作之便利，与八路军之关系似亦较密，故多少代表了八路军和共产党，因此在许多地方，便被有成见地看待着。如果偶一不慎，即可破坏统一战线。然服务团既属一宣传团体，内容中心即以巩固和扩大统一战线为原则。所以不论在宣传品上也好，在言谈中也好，在行动上也好，都极力地不引起误会。如在洪洞时，这时娘子关失守以后，日本进兵至介休，各军都在整理中。那时每天都有许多老百姓来要求参加八路军，我们即为之介绍。后来有许多第三军的，四十五师的弟兄也都跑来，一定要参加八路军，哭哭啼啼说，不准即自杀，但我等仍以好言相劝，劝之回营，后来这事被他们官长知道了，大大说我们好话。在赵城时，与中央军的关系亦是如此。我们互相开晚会、演戏，初时仍有人不明了我们，后来认清楚了，大家都很好。同山西地方的关系更是好。因为我们的工作全是同他们商量好，征求得他们的意思，依照着他们的口号，站在他们的地位去工作。所以我们每到一县，即由动员委员会，邀集当地各机关军队、团体，举行联欢，和贡献我们工作的意见。即使一小村，也务必与该村村长协同去做，使工作效能能得更圆满之结果。尤以在西安有摩擦之处，在各种误会成见中遭受意外之压迫、打击，但仍以更多工作之表现和诚恳之态度婉转周旋。在西安市三个团体被封，民先西青九同志被逮之时，战地服务团仍能以非正式合法之团体活动其中，深入群众，（在我们这里排戏学歌之团体三十个，包括妇女、儿童、学生、兵士、伤兵、难民及救亡团体）扩大影响，实非容易。我们虽说在抗敌后援会号召之下做了许多工作，但各方面也帮了我们许多忙。如行营、党部、省府、抗协、各学校团体，因工作上之接近，减少了误会和成见，增加了了解。所以党部代表在我们之招待茶会上，曾奖誉有加；省府之代表，更不待言了。由此证明共产党（因战地服务团无形中代表了共产党）是大公无私的、诚恳的，不是只说漂亮话的。是以民族解放为前提，仁至义尽的。因此战地服务团一年工作中，无论在山西、陕西，上层下层，都说服了犹疑的、对统一战线不了解相信的人，暴露了汉奸力量之挑拨丑态（《抗战与文化》就说某战地服务团不上前线去服务等等），和他的无用的技能。因此，在巩固统一战线一点上，是尽了颇大的力量，也收了不少的效果。

（3）生长和强大起来了。在开始成立时，我们只有三十三个人，但陆续增多了，又将经过一时期训练的调出去工作和加深学习，前后有九十多个。除留团者三十一人外，其余都在各地方参加和领导工作了。而在一年之中，锻炼出许多更坚强能应付各种环境的干部。实际的工作经验，吸取经验中之教训，不断学习，能力普遍地加强了，政治上之认识也愈加深刻了。这还只是一般的工作能力。其他如技术之加强，人材之发现与培植。当开始时，我们这里几乎没有一个专门人材，我们演顶粗糙的戏，唱上海来的歌曲。然而因了工作之需要和分工，我们产生了剧本、歌曲、杂技制作者，产生了无数的小先生，全团几乎没有一个人不被派出去教歌排戏，连勤务员也派出去教唱快板。我们大胆地创制了许多旧形式的东西，在话剧上亦努力求精。当然我们并不满足现在的境地，然而至少是我们已经拥有形式最多、人材最多（虽不是职业专家，但是从工作中培养出了新的、无习气的、大众的、克苦的、有前途的青年干部）的团体了。

三联经典文库第二辑简目

《游击战教程》　明凡 / 著

《游击战术纲要》　陶剑青 / 编著

《汪精卫卖国的理论与实践》　钱俊瑞 / 著

《抗战以来》　韬奋 / 著

《陕行纪实》　楚云 / 著

《随军散记》　沙汀 / 著

《被日寇囚系半载记》　王研石 / 著

《倭营历险记》　房沧浪等 / 著

《活跃的新西北》　田影 / 编著

《保卫华北的游击战》　刘清扬　陈北鸥等 / 著

《徐州突围》　《徐州突围》编委会 / 编

《沦亡的平津》　长江　小方等 / 著

《淞沪火线上》　胡兰畦等 / 著

《瞻回东战场》　长江　罗平等 / 著

《东线的撤退》　胡兰畦等 / 著

《抗战中的西北》　徐盈 / 著

《鲁闽风云》　徐盈等 / 著

《西线生活》　西北战地服务团集体创作

《中国解放区见闻》　［美］福尔曼著 / 朱进译
《全面抗战论》　潘汉年 / 著
《日本的间谍》　范士白自述 / 尊闻译
《日本大陆政策的真面目》　国难资料编辑社 / 编
《民众动员论》　李公朴 / 著
《中国外交史》　钱亦石 / 编著
《太平洋军事地理》　蒋震华 / 著
《世界经济地理讲话》　思慕 / 著
《列强军力论》　［德］马克斯 · 威纳尔著 / 宾符　仲持　梅益等译
《近代国际关系史》　张铁生 / 著
《太平洋现势手册》　沈志远　石啸冲 / 编著
《近代世界政治史》　钱亦石 / 著
《从战争到和平——一九四五年的世界政治》　乔木 / 著
《战后日本问题》　思慕 / 著
《最近一年间的国际动态（1946.7–1947.6）》　《东北日报》社 / 编
《论政党》　翟放 / 著
《法与宪法》　韩幽桐 / 编著
《中华民国宪法刍议》　罗家衡 / 著
《民主 · 宪法 · 人权——作之民》　费孝通 / 著
《宪法论初步》　潘念之 / 著
《对反民主的抗争》　韬奋 / 著
《农村改进的理论与实际》　江恒源 / 著

《上海产业与上海职工》（上下）　朱邦兴　胡林阁　徐声 / 合编

《陶行知教育论文选辑》　陶行知著 / 方与严编

《中国通货膨胀论》　杨培新 / 著

《中国及其未完成的革命》　H · 普拉特著 / 蒋天佐译

《中国的建设问题与人的训练》　卢作孚 / 著

《论中国特殊性及其他》　艾思奇 / 著

《中国经济问题讲话》　钱俊瑞　徐雪寒　王渔邨　姜君辰　骆耕漠 / 合著

《中国经济的道路》　许涤新 / 著

《中国财政之病态及其批判》　孙怀仁 / 著

《官僚资本论》　许涤新 / 著

《五四运动之史的评价》　陈端志 / 著

《中国通史简编》（上下）　中国历史研究会　范文澜 / 主编

《论文学的工农兵方向——读〈在延安文艺座谈会上的讲话〉》　雪苇 / 著

《中国近代史（上编　第一分册）》　武波 / 编著

《文学百题》　傅东华 / 编

《中国史学之进化》　周谷城 / 著

《论民族形式问题》　胡风 / 著

《论批评》　荃麟等 / 著

《中国史纲》（第一卷上下、第二卷上下）　翦伯赞 / 著

《近代中国思想学说史》（1–4）　侯外庐 / 著

《中国政治思想史》(上下)　　吕振羽 / 著

《中国哲学史纲要》　　向林冰 / 著

《中国政治史讲话》　　钱亦石 / 著

《中国社会经济史纲》　　王渔邨 / 著

《新财政学大纲》　　千家驹 / 著

《太平天国革命运动论文集——金田起义百周年纪念》

华北大学历史研究室 / 编

《理性与自由——文化思想批评论文集》　　胡绳 / 著

《战斗者的诗人》　　黄药眠 / 著

《国语文法》　　曹朴 / 著

《教育哲学》　　张栗原 / 著

《妇女问题讲话》　　杜君慧 / 著

《婚姻 · 子女 · 继承》　　沙千里 / 著

《性教育新论》　　布士克　雅各生合著 / 董秋斯译

《狱中杂感》　　杜重远 / 著

《七人之狱》　　沙千里 / 著

《爱迪生传》　　伍况甫 / 译

《歌德自传》(上下)　　歌德著 / 思慕译

《尼赫鲁自传》　　[印度] 尼赫鲁著 / 毕来译

《列宁传》　　[苏] 凯尔任采夫著 / 企程　朔望译

《罗斯福总统传》　　C. Mackenzie 著 / 张尚之译

《托尔斯泰传》(1–3)　　[英] 阿尔麦 · 莫德著 / 徐迟译

《革命文豪高尔基》　［美］亚历山大·康恩著 / 韬奋编译

《鲁迅纪念特辑》　新中国文艺社 / 编

《回忆鲁迅先生》　萧红 / 著

《人民文豪鲁迅》　平心 / 著

《亡友鲁迅印象记》　许寿裳 / 著

《鲁迅思想研究》　何干之 / 著

《鲁迅研究》　夏征农 / 编

《过来的时代：鲁迅论及其他》　雪峰 / 著

《电影戏剧表演术》　洪深 / 著

《日常心理漫谈》　［美］约瑟夫·查斯特罗著 / 曾宝施译

《心理常识漫话》　朱智贤　杨云美 / 著

《读书的方法与经验》　王任叔 / 著

《美国黑人生活纪实》　［美］加德维尔　斯坦倍克著 / 董秋斯译

《初访美国》　费孝通 / 著

《事业与成功》　［美］马尔腾著 / 汪原放译

《萍踪寄语（初集）》　韬奋 / 著

《一生的幸福前途——〈生活周刊〉信箱选集》　生活书店 / 编选

《深刻的印象》　生活周刊社 / 编

《海外的感受》　生活书店编译所 / 编

ISBN 978-7-108-04753-3

9 787108 047533 >

定价：29.00元